세계여행작가

Globalization Travel Writer

세계여행작가협회 편

서문당

세계여행작가

Globalization Travel Writer

세계여행작가협회 편

두 번째 문집을 펴내며…

여행은 삶의 원동력이고 정신문화입니다.

역사의 미학이 즐비한 우주의 삼라만상이 푸르게 밝았습니다. 시대마다 격동이 요동치며 희로애락(喜怒哀樂)이 구구절절했던 흔적들을 이성적 논리로 구현하고자 뜨거운 사막을 걷는 열정과 오아시스 같은 맑고 깊은 감성을 담아 두 번째 문집을 펴내게 되어 한없이 기쁘고 감사드립니다.

인류 문화예술의 중심은 문학이라고 봅니다. 회원님들의 가슴 가슴마다 연결된 주파수는 세계를 향해 고고(考古)한 울림이 되어 독자들에게 정신적 육체적 피로를 풀어주는 동력이 되고 있습니다.

끊임없이 우리 사회를 풍요롭고 강하게 만들기 위한 문학의 리더십을 발휘하시고, 길이 남을 작품을 일궈내시기 위해 열려 있는 세상을 향해 거침없는 회원님들, 세계여행작가협회의 예향이 뿌리 깊게 자리 잡고 있습니다.

앞으로 세계인이 향유할 수 있는 여행문학의 선각자로서 사명을 다할 것이며, 독자님들의 관심과 많은 사랑을 바랍니다. 또한, 작가님들의 건필과 삶이 행복하시길 기원합니다.

2017년 봄
세계여행작가협회
회장 장 덕 환

차례

3부 탐방 여행

4부 시- 아침이슬 같은 시를 쓰는 사람들

7

제1부

걸으며 하는 이야기

최윤정

장덕환

김정아

유진순

심명숙

사진 김광덕

흐르는 꿈의 파편

―군중속의 에트랑제, 새로운 만남의 눈뜸

글,그림 **전 규 태**
(시인, 문학평론)

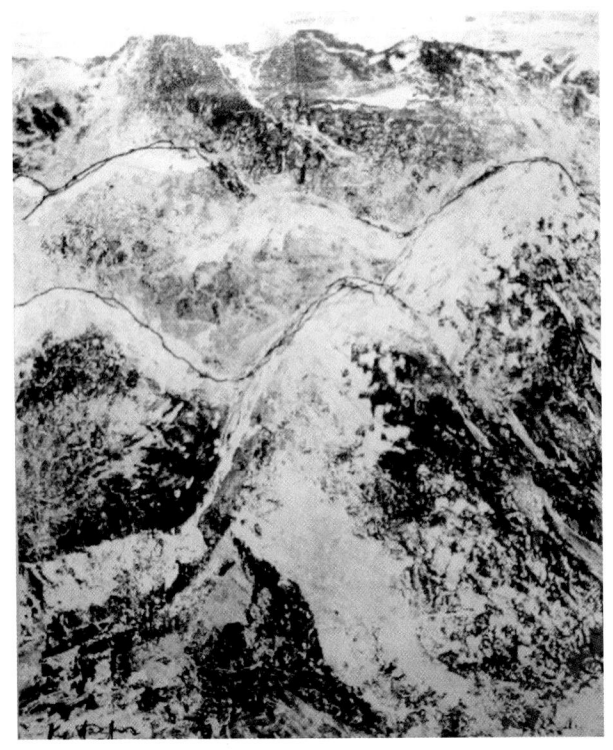

길을 떠나는 마음은 설레임, 불안, 기대가 버무려진다.

먼 나라 알지 못하는 나라를 그리는 마음은 호젓하다. 마음먹었을 때 여행은 시작이고 그때가 바로 떠날 때다.

우수수 쏟아질 것만 같은 나그네 길, 하늘 우러르면 푸름 빛의 연막 같다고나 할까, 그 순간 흐르는 꿈의 파편처럼 반짝 거리면서 내 몸이 꿰뚫듯 지나간다. 지그시 눈을 감는다. 눈 속의 어둠이 밝아 오면서 그 낱말들이 눈사태처럼 무너져 내린다.

그런 때면 손을 저어본다. 손바닥이 파르스름하게 물든다. 별이 엄습해 왔다. 이렇게 표현해야 할까.

별의 환상이 나의 여심(旅心)을 키운다. 대자연 속에선 계절의 흐름이 눈에 띈다. 이른 봄이다. 꽃들이 흐드러진다. 푸른 숲과 어우러져 하늘이 청정하다. 새삼 풍경에 눈뜬다.

그런 나를 화필이 유혹한다. 생명감을 느낀다.

님 만난다는 기대 때문에 그리움이 노을져 타오른다. 어느새 상처도 아물었다. 누굴 꿈꾸었을까. 올 듯도, 꼭 올 듯만 싶은 그런 날이 그립다.

대자연 앞에선 인공적인 예술이란 하잘 것 없다. 예술이란 어쩌면 자연보다 위대하다고나 할까, 이런 이미지는 세간치니와 연관된다. 먼 지평선에 산의 흐름이 펼쳐지고 그 위에 하늘이 투명하다.

여행을 떠나는 것은 일상에서 벗어나 해방되는 즐거움이다. 해방도 표박(漂泊)이며 탈출도 표박이다. 표박은 하나의 운동감정이다. 여기에

노스탈리지아가 있다. 여행에 나선다고 하는 것은 안정된 상태에서 벗어나려는 길이다. 이런 감정은 일상에서 멀어질수록 깊다. 멀어졌다는 감정은 거리와는 관계가 없다. 여행은 미지(未知)에의 끌림이다. 눈에 익었던 사물도 여행길에선 새롭다. 예사로운 것도 예사롭지 않다. 이미 알고 있는 것에 대해 놀라움을 느끼고 다시 보게 된다.

인생은 나그네 길이다. 인생에 대해 누구나 느끼는 감정이란 흔히 여행할 때 느끼는 감정과도 상통된다. 그러기에 여행은 로망이다. 그런 이야기 속으로 들어가는 것은 상상력을 자극한다. 여행은 삶의 유토피아다.

출발점이 여행은 아니다
도착점도 여행이 아니다
여행은 끊임없는 과정이다

목적지에 도착하는 것만을 목적으로 여기고 그 과정을 즐길 줄 모르면 참 나그네일 수 없다. 여행은 본질적으로 관상적(觀想的)이다. 나그네는 보고 느끼는 자다. 평소의 실천적 삶에서 벗어나 보고 느끼는 자가 된다는 것이 여행의 속성이다.

여행은 착시(錯視) 현상을 바로 잡아주는 것이다. 곧 새로운 시각(視角)을 갖게 한다. 곤충이 허물을 벗을 때 지니는 홀가분함이다. 눈에 씌었던 덮게 같은 것이 벗겨질 때의 느낌이라고나 할까.

그런 충격에는 '눈뜸'이 필요하다. 곧 새로움을 찾아야 한다는 생각이 앞서야 하고, 그런 여행을 통해 색다른 물음이 필요하다. 그래야 새로운 안목이 생긴다.

그런 세계는 지도를 지니지 않은 여행이다. 종래의 지도가 아닌 스스로 세계의 새 지도를 만드는 여행길이다.

여행의 정신은 오만자다. 도망치는 정신이다. 군중속의 고독한 에트랑제다. 이국(異國)의 향기를 그리워하며 이를 통해 고독의 조건을 확인해야 한다. 외로움 속의 한 순간, 의식의 연상 작용으로 이루지 못할 고독을 역전(逆轉)시켜 나가야 한다. 만남에 의한 '눈뜸', 떠남을 통한 만남, 새로운 발견이 바로 큰 나그네의 덕목이다.

고도방 구두를 아시나요?

글,사진 **김 유 조**
(소설가, 본회 부회장)

고도방 구두의 본향

　단체관광으로 서부 아프리카의 모로코와 유럽의 이베리아 반도, 그러니까 포르투갈과 스페인 여행을 함께 떠난 일행은 열다섯 명이었다. 물론 여행사에서 사람들을 모았으므로 서로 간에 지면이 없는 낯선 관광객들의 무작위 모임이었는데, 현지에서 붙은 전문 가이드 남자 한명이 여기에 더하였다. 일행의 운이 좋았던지 전문 가이드는 스페인 유학을 왔다가 주저앉은 청년이어서 엉터리 가이드가 적지 않은 관광지에서 보석 같은 존재를 만난 셈이었다.

포르투갈을 맨 먼저 관광한 일행은 일단 지브롤터 해협을 건너서 모로코를 보았고, 다시 스페인으로 건너오는 일정을 잡았는데 그 흐름이 절묘한 데가 있었다. 유럽의 가톨릭 문명을 일단 맛보고 아프리카의 이슬람권으로 넘어갔다가 그쪽의 무슬림들이 이베리아 반도에 상륙하여 진격한 역사적 루트를 답사하는 모양새였던 것이다.

그들이 모로코에서 마지막으로 들린 곳은 페즈(Fez)였는데, 세계적으로 유명한 피혁 원단을 만드는 곳이었다. 무두질과 염색의 공정은 오늘날도 중세의 방식과 과정에서 별로 달라진 것이 없는 수준 같았다. 좁디좁은 골목길을 돌고 돌아서 역한 냄새와 눈물이 솟을 정도의 화학 약품 냄새를 맡으며 나중에는 다락방까지 올라가 보았으니 처참한 가죽 문명의 전부를 접한 관광객들은 마침내 기진맥진할 지경이었다.

그런 다음 일행이 스페인으로 올라와서 방문한 곳이 꼬르도바였다. 페즈에서 무두질하여 원단이 만들어지면 꼬르도바에서는 가죽제품을 예술적으로 가공하여 판매를 하고 있었다. 문명사의 단층을 절개하여 들여다 본 철저한 체험 관광인 셈이었는데, 그 결과는 가죽 제품에 대한 왕성한 구매력으로 여행의 대장정이 이어졌다. 어지간해서는 물건을 사지 않던 거기 어떤 중년 부부도 추세에서 발을 빼지 못하는 듯 부인이 조금 큰 가죽 핸드백을 사자 남자는 갑자기 가죽 구두를 샀다.

"관광 와서 무슨 구두를 사요?"

부인이 힐난조로 말하였다.

"당신, 이 구두가 뭔지 모르지? 고도방 구두야."

"구두방이요?"

"이런 무식하긴, 광택이 빛나는 고도방 구두!"

"뭐요? 이 양반이 무식이라니!"

부인이 빽 소리를 지르자 남자가 당황하여 그 옆에 있는 청년에게 구원을 요청하였다.

"젊은이, 고도방 구두라면 보통 사람들은 다 알지요?"

그러자 부인도 지지 않고 나섰다.

"그래요, 젊은 양반 솔직히 말해보세요, 고도방 구두를 아시나요?"

그러자 청년이 중년부부를 한 참 동안 노려보다가 버럭 소리를 질렀다.

"뭐요?! 이 사람들이 나를 놀리는 거요? 그렇지 않아도 고도방이니 구두방이니 하면 억장이 무너지는 판인데 사람 속을 뒤집어 놓기로 작정하셨소? 무슨 억하심정이 있단 말이요?"

갑자기 일이 이상한 방향으로 전개되고 일행의 시선이 집중되자 청년의 나이든 아버지가 수습에 나섰다.

"아이구, 여러분 미안합니다. 집안 사연이 좀 있어요. 사실 뭐 크게 부끄러울 일도 아니니 설명을 좀 드리죠."

머리가 허연 그 아버지는 오래전 지방 도시에서 "고도방 구두방"을

열어서 돈을 크게 벌었다. 미군부대에서 나오는 군화를 개조하여 광택 나는 '코도반 구두'로 팔다가 마침내 원단으로 신사화를 만들어 팔았다. 원래 구두는 현금 장사였고 나아가서 차츰 선물 티켓을 발행하는 시장이 형성되면서 현금이 축적된 '돈 장사', 좋게 말하여 금융 쪽에 눈을 뜨며 지금은 저축은행을 운영하게 되었다는 것이다. 작년에는 그 도시의 큰 백화점 집 딸과 혼담이 있었는데 그쪽 집안 내력은 원래 소규모로 가방을 만들어 팔다가 해외여행 바람 따라 고급 여행용 가방을 수입, 판매하여 큰돈을 벌고 백화점까지 인수하였다. 그래서 재산이 어지간한 두 '가문'이 화촉을 밝히려는 찰나 지방 보수 꼰대들의 질시를 받게 된 모양이다.

"모두 갖바치라는 말 때문이랍니다. 가죽 일을 하는 사람들을 우리나라에서는 가죽바치, 혹은 갖바치라고 했답니다. 그런가하면 예전에 광주리를 짜면서 평생을 살아간 사람들을 '고리 귀신'이라고 했다는데 모두 백정 취급을 받았다는군요. 그런 두 가문이 화촉을 밝힌다는 뒷말에 그만 혼사가 깨어지는 지경에 이르고 말았어요. 우리 양가는 모두 신흥기업가라고 자부심이 큰데 말이지요. 그래서 훌쩍 여행이나 떠나자고 이렇게 온 것입니다."

사람 좋게 보이는 노신사의 설명이었다.

세상에, 이 시대에 이게 무슨 말도 아니라는 분개와 동정론이 비등하는 가운데 가이드가 나섰다.

"아하, 이거 참, 촌극 같은 비극이네요. 여기서는 그런 기술이 모두 전문직으로 대접을 받아오는데 말이지요. 하여간 지금 오신 여기 꼬르도바가 바로 그 고도방의 고향입니다."

아랍어에 따르면 코르도바는 피혁을 일컫는 말이었다. 8세기부터 이베리아 반도에 진출한 이슬람 세력은 남부 시에라네바다 산맥을 넘어서 지금 이곳 코르도바로 진출하였다. 이들은 여기에서 아랍의 선진 기술인 피혁과 금은 세공업을 발달시켰다. 아울러 배후 세력으로 유태인과 집시들도 끌어들였다.

유식한 가이드는 해설을 이어갔다. 문명과 문화 발전의 기폭제는 항상 다원주의와 변화를 수용하는 마음자세에서 나왔다고 할 수 있다. 유럽 일부와 동남아시아까지 넘보았던 이슬람은 대제국 건설 이후에 원리주의와 불변을 고수하기 시작하면서 변화를 수용하기 시작한 서구 문명에 마침내 역전되고야 만다. 사실 영광의 정점에서 불변이란 얼마나 달콤한 미망인가…. 하여간 당시로는 굉장한 선진 기술인 코도반 기술을 개화 시킨 이곳은 지명 자체도 가죽이란 뜻의 '코르도바(Cordoba)'가 되어서 오늘에 이르고 있다는 것이다.

"성당을 허물지 않고 모스크 사원으로 개조한 정신, 또한 모스크 사원 위에 성당을 올린 과감한 정신이 쇠퇴할 때 그 문명은 피폐한다고 볼 수 있겠지요. 한때 세계를 제패했던 이슬람 문명이 쇠퇴한건, 변화를 받아들이지 않은 탓입니다. 변화 없는 도그마, 카스트 제도…, 이런 것들이 종교와 접합하면서 원리주의가 되면 대책이 없는 것이죠."

똑똑한 젊은 가이드의 유창한 안내의 말이 계속 울려 퍼졌다.

"나도 그 가난하던 시절에 고도방 구두와 쎄무 가죽잠바가 얼마나 입고 싶었던지요. 그게 원리주의가 되어 구두를 샀다가 부부싸움까지 번져서 송구합니다. 하하하."

코도반 구두를 산 중년 신사의 즐거운 목소리가 모두의 웃음을 이끌었다.

타슈켄트에서 만난 여인들

글,사진 **김 유 조**
(소설가, 본회 부회장)

타슈켄트는 중앙아시아에서도 가장 중앙에 있다고 하는 우즈베키스탄공화국의 수도이다. 인천공항으로부터 우즈베키스탄 항공을 타고 7시간 30분이나 날아온 이곳은 발틱 3국 여정의 종착역이 아니고 다만 다섯 시간 가량을 머물다가는 기착지일 따름이었다. 돌아올 때에도 마찬가지였다. 그런데 그 기착지에서 무슨 이야기가 생겼단 말인가?

스마트 폰과 PC의 배터리를 충전하려고 보니 작고 을씨년스러운 공항 대기실의 한쪽 켠에만 몇 군 데 전원 꼽는 곳이 눈에 띈다. 일행이 있는 쪽으로도 구멍은 있으나 먹통이다. 눈들을 부치고 휴식을 취하는 일행과 떨어져서 배터리 충전을 하고 있는데 좌우앞뒤 의자에 형형색색으로 옷을 차려입은 여인들이 수두룩하다. 가끔 남자들도 보이지만 모두 수도승 같이 엄격한 얼굴들이고 부침 성이 전혀 없다.

여인들의 모습을 다시 가만히 보니 대체로 무슬림 복장인데 덮어 쓴 차도르가 천차만별이다. 또 인도계의 사리를 쓴 여인들도 있고 야한 복장에 PC와 롤러 블레이드를 옆에 한 노랑머리 코카서스 인종의 젊은 여인도 있다.

러시아인이었다. 아니 러시아인의 얼굴에 아시아 눈매가 날카롭게

박혀있다. 바이칼 호에서 많이 보던 혼혈이다.

"어디서 왔어요?"

그녀가 영어로 물었다.

세상에!

몽골－튀르크계의 우즈베키스탄 어나 러시아 어 말고는 말이 통하지 않아서 답답했던 이곳에서 영어를 하는, 찢어진 고양이 눈매의 노랑머리가 있다니.

"나는 한국에서 왔소. 이 동네 사람인가?"

그녀는 러시아의 상뜨 뻬째르부르그에서 왔는데 사실은 타일랜드에서 컴퓨터 관련으로 먹고산다고 하였다. 잠시 고향에 가는 중, 타슈켄트 기착이었다.

그녀와 내가 말이 통하자 눈치만 보던 무슬림 여인들이 다가왔다. 무언가 그녀에게 러시아 어로 물어보더니 또 무어라 부탁의 말을 하는 성 싶었다. 도무지 알아듣지 못하는 그들의 대화 가운데에서 '스폰서'라는 말이 여러 차례 오고갔다. 러시아 여인은 그런 말을 내게 전하고

싶지는 않다는 표정이었다.

　"무슬림 여인들이 당신에게 무슨 말을 부탁하나?"

　내가 물었다.

　"서울에서 왔다니까 주소를 좀 적어달라고 한다. 나중에 서류를 보내면 스폰서 사인을 해달라고 한다. 그러면 서울에 갈 수가 있다고 한다."

　아, 서울 바람!

　대학에서 교환학생으로 온 우즈베키스탄 여학생이 생각났다. 그녀에 따르면 동대문 근처에는 우즈베키스탄 사람들의 모임 장터도 있고 주거지도 있다고 하였었지.

　그건 어쨌든 스폰서라니!

　내가 그런 약속은 못하겠다고 하였고 러시아 여인 '제나'도 그런 말 심부름 보다는 나와의 이야기나 연장하고 싶은 눈치였다.

　건네주는 명함을 보니 상뜨 빼째르부르그 주소와 타일랜드 주소를 병기해 놓고 있으니 이 여인에게도 '서울 바람'까지의 노림수가 없다고는 할 수 없을 것이다. 발트 3국을 돌아보는 내 이번 여정의 끝에는 상 뜨 빼쩨르부르그 방문도 있다고 하였더니 빼쩨르부르그에 오면 꼭 전화 연락을 해달라고 한다. 자기네들과는 상관없이 돌아가는 대화의 공기를 눈치 빠르게 파악한 주위 무슬림 여인들의 실망은 이만저만이 아니다.

내 나라의 위치와 모습이 이렇게 장하고 자랑스러울 수가 더 없었다. 전에 신장-위구르 지역을 거쳐 '막고 굴'을 갔을 때 확인도 했고, 이곳 인근 기르키스탄 박물관에 신라와 고구려의 사신도가 있다는 사실처럼 우리 민족의 세계적 활약이 어제 오늘에 이른 것은 아니지만 말이다.

러시아 여인은 신이 나서 자신의 PC를 열고 '요가'하는 모습도 보여준다. 페이스 북에 올린 요가 동작을 보니 완전 '요기'의 경지가 아닌가. 좀 더 구체적으로 말하자면 거의 반라의 상태에서 몸이 꺾어지는데 꼭 예전에 서커스단의 여인들이 뒤틀어대던 정도의 고난도 포즈가 아닌가. 또 어떤 화면에서는 문자 그대로 누드 자세도 있었다.

눈이 고양이 혹은 대추씨처럼 생긴 것은 핀란드 쪽 사람들이나 우랄 산맥 이동 쪽의 슬라브 인들이 몽골시대의 혼혈 흔적을 반영하는 것인데 이 아가씨도 눈 쪽에 그런 신체적 흔적을 갖고 있어서 더욱 흥미로

웠으나 그런 것들을 물을 처지는 아닌 듯하였다. 아는 만큼 보인다고 했으니 여행의 즐거움에 포함시킬만한 또

하나의 잡학이 아닌가 싶다.

갑자기 왁자지껄하는 소리가 들려서 정신을 차려보니 저쪽에 있던 일행들이 비행기를 타러 움직이기 시작하였다. 달콤한 시간은 어찌 이리도 빨리 지나가는지.

아, 이 땅에 다시 오리라. '스탄'으로 나라 이름이 끝나는 여기 여러 나라들을 다시 찾아와보리라. 우리말에도 원래 '땅'이라는 표현이 100년 전만 하여도 '\땅'이라고 표기하지 않았던가. 'stan'은 페르시아어로 '땅, 나라'란 뜻이다. 우즈베키스탄은 곧 '우즈베크족의 땅'이다. 한국어 땅의 고어가 '따'을 'ㅅ+ㄷ'으로 썼듯이, 땅의 어원이 스탄이란 학설이 있다. 유라시아대륙에 띠처럼 늘어선 이스탄불, 카불, 자이푸르, 쿠알라룸푸르 등의 '불, 푸르'와 우리말 '벌(너른 땅)'이 고대 공통어일 가능성도 있다고 한다.

무슨 혈연의 강이 이곳으로 흘러왔단 말인가. 그때 찍어온 사진들을 펼쳐보며 중앙아시아를 꿈꾼다.

토마스 하디 생가
Thomas Hardy Cottage

글,사진 **김 장 진**
(본회 영국 지부장)

   필자는 중학교 시절 〈테스〉라는 소설을 읽고 깊은 감동을 받았다.
그 후에도 가끔 이 소설에서 나오는 주인공 테스가 운명의 손아귀에서
벗어나지 못하고 슬픈 인생의 마지막을 맞는 생각을 했다. 그러다가 어
느 가을 날 문득 그 소설에서 나오는 Wessex(웨섹스는 도싯주의 가상적 이
름) 지방을 가 보기로 했다.

소설의 작가인 토마스 하디(Thomas Hard) 런던에서 서남쪽으로 128마일 떨어진 도체스터(Dorchester)에서 가까운 스틴스포드(Stinsford)에 있는 윗마을 Higher Brockhampton에서 1840년 6월 2일에 태어났다. 토마스 하디가 태어난 집은 할아버지가 손수 지은 작은 초가집으로 이곳에서 34살까지 살았다.

16세 토마스 하디

아버지는 석공이었고 교육을 받은 어머니가 집에서 토마스를 가르쳤으며 8살에 동네 학교에 들어갔다. 이곳에서 라틴어를 배웠고, 장래 학문을 크게 성취할 수 있는 잠재력을 보였으나 집안 경제사정 때문에 대학에 갈 형편이 못되어 12살에 학교를 그만두고 고장에 있는 건축회사에 견습공으로 취직했다.

토마스가 태어난 집은 지대가 높아서 창문에서 내려다보면 에그든(Egdon) 초원이 펼쳐지는데 헤더, 가시금작화와 양치식물들이 풍성하

생가 옆모습

토마스 하디 생가 뒤뜰

게 자라고 있다. 멀리 바라다 보이는 들판에 무르익은 밀알들이 바람에 물결치고 오솔길을 따라 돌아오는 길 양옆으로 철쭉나무와 자작나무가 늘어서 있다.

토마스 하디는 밖이 내려다보이는 2층 조그마한 방의 창가에 앉아 〈Under the Greenwood Tree〉를 익명으로 1872년에 썼으며 이 소설에서 이 작은 초가집과 주위의 경치를 잘 묘사하였다. 토마스가 30세 되던 해 영국 최남단 콘월 주 성 쥬리오트 교회의 복구 작업에 갔다가 변호사의 딸인 엠마를 만나 사랑에 빠졌다. 엠마와 결혼한 1874년에 처음으로 웨섹스 지방을 소개한 소설 〈성난 군중으로부터 멀리(Far from the Madding Crowd)〉를 썼으며 이 소설이 성공하자 글을 쓰는데 전념을 하였고 이집을 떠나 이사했다.

할아버지가 1800년에 지은 이 작은 초가집은 밀짚을 섞은 흙으로 벽을 쌓았고 낮은 나무 대들보 밑에 훨훨 타고 있는 벽난로가 찾아오는 사람들의 몸과 마음을 따뜻하게 해준다. 2백 년 동안 집을 개조하지 않았고 정원이나 동네도 토마스가 살 때처럼 바뀌지가 않았다. 집안

토마스 하디 책상

하이디 책꽂이에 한국 서적

아버지가 사랑하던 바이올린

관람객이 연주하는 모습

에는 토마스 하디가 사용한 아기침대와 어렸을 때 초상화가 걸려있고 서재에는 우리말로 번역된 〈테스〉와 〈귀향〉이 책장에 꽂혀있어 반가웠다. 그리고 아버지가 사랑하던 옛적 바이올린이 보관되어 있다.

영국의 전형적인 시골집의 정원이 토마스가 살 때처럼 꾸며져 있고 애견가였던 토마스의 개집과 본채에서 떨어진 화장실이 그대로 남아있다. 이러한 환경에서 자란 토마스 하디는 주위에서 듣고 보고 체험한

토마스 하디의 개집

원형으로 남아있는 변소

벽난로 앞에서 향수에 젖어 있는 관람객

이야기들에서 영감을 얻어 글을 썼기에 그의 작품을 알고 이 집을 찾아온 사람들은 타임머신을 타고 그 시대로 돌아가는 착각을 일으켜 토마스 하디와 화롯가에 앉아 도란도란 이야기하는 것 같다.

Max Gate

1880년도에 토마스 하디는 그가 쓴 소설이 성공하여 돈도 벌고 사회적으로도 명성을 얻어 큰 집이 필요했다. 생가에서 멀지 않은 곳에 허름한 집을 사서 손수 설계를 하여 퀸 엔스타일로 3층 집을 지어 "막스 게이트"라 이름 짓고 엠마와 함께 이사했다. 이 집에서 엠마와 행복한 날들을 보냈으나 둘 사이에 자식이 없어 아쉬움을 느꼈다. 토마스하디가 1895년에 Jude of Obscure를 쓴 다음부터 두 사람 사이에 불화가 오기 시작하였다. 엠마는 소설속의 내용에 빅토리아 시대 성적인 관습의 묘사와 종교에 대한 비판이 옳지 않다고 생각하였고, 소설의 주인공 이야기가 마치 자기 부부 사이를 묘사하는 것 같아 출판된 책이 성공은 했지만 못 마땅하게 생각했다.

차츰 부부사이가 더 나빠져 엠마는 다락에 방을 만들어 혼자서 외롭게 지냈으며, 그 후 병을 얻어 1912년에 세상을 떠났다. 74세인 토마스 하디는 부인이 죽은 다음 외로움을 달래려 39살 연하인 비서 프로렌스와 결혼을 했으나 항상 엠마를 잊지 못하였고 자신의 비정을 후회하고 뉘우쳤으며 엠마와 처음 만난 콘월의 교회로 참회의 순례를 하였다. 첫사랑의 애절함을 극복하기 위해 엠마를 위해 시 3편(1912~13)을 남겼다. 아내 엠마는 여성 참정권 운동가였으며, 런던에서 죠지 버나드 쇼와 함께 활동도 하였다. 남편이 글 쓰는 것을 장려하고 많은 도움을 주었지만 남편보다 사회적으로 우월한 계급 출신이라는 생각에서 벗어나지 못하였고, 이혼을 쉽게 허용하지 않던 경직된 당대의 사회현실 속에서 순탄하지 않았던 결혼생활은 토마스 하디가 쓴 소설 〈숲의 사람들〉과 〈무명의 주드〉에서 깊이 있게 형상화 됐다.

하디는 영예로운 노년을 이 집에서 보냈으며 1925년에 미국인 이혼녀인 윌리스 심슨 때문에 '사랑을 위해 왕관을 버린' 에스워드 8세가 황태자였을 때 다녀갔고 노벨 문학상 후보에도 올랐으며, 디 에치 로렌스, 죤 쿠퍼 포이스, 버지니아 울프와 로버트 그레이브스 등 그를 흠모하고 존경하는 젊은 작가와 학자들이 찾아왔다.

토마스 하디는 오랫동안 흉막염으로 고생하다가 자기가 설계한 집 침대에 누워서 부인 프로렌스에게 마지막 시를 받아쓰게 한 다음 1928년 1월 11일 88세의 나이로 세상을 떠났다.

Stinsford

토마스 하디가 태어난 마을인 스틴스포드는 도싯주의 주도인 도체스터에서 북쪽으로 1마일 떨어진 곳으로 천여 년 전에 지은 건물 흔적이 남아있고, 인구가 3백여 명이다. 스틴스포드라는 말은 옛 영어로 조그마한 목초지라는 뜻이다. 마을 중심에 있는 성 미카엘 교회는 이 고장에서 가장 신성시하는 교회이며 토마스 하디가 세례를 받았고, 죽어서 이 교회의 묘지에 묻혔다.

할아버지와 아버지가 40여 년간 매주 일요일 이 교회 성가대에서 바이올과 바이올린을 연주하였다. 토마스 하디 인생에서 이 교회는 커다란 의미를 갖고 있으며 많은 영향을 주었다. 막스 게이트에 살 때도 자주 프롬강의 골짜기를 따라 이 교회에 왔으며, 〈Under the Greenwood Tree〉에서 나오는 Mellstock은 이 마을을 말한다.

하디의 장례식은 영국 왕과 수상들 국가의 영웅들이 묻힌 웨스민스터 사원에서 있었고 마땅히 사원의 '시인의 코너'에 묻혀야 하는데 그가 죽기 전에 첫 부인 엠마와 함께 묻히기를 원해서 어려운 절충 끝에 심장은 엠마 무덤에 묻히고 화장한 재는 웨스트민스터 사원에 묻혔다. 둘째 부인 프로렌스가 1937년에 죽어 이곳에 묻혔고 영국 국민의 최고 시인이라 불리는 계관시인(1968~1972)으로 엘리자베스 2세 현 여왕

스텐포드 성 미카엘 교회

성 미카엘 교회 가족 묘

심장 무덤 ▶

으로부터 총애를 받아 훈장을 받았던 Cecil Day-Lewis(1904~1972)가 토마스 하디를 흠모하여, 그의 유언도 죽어서 토마스 하디 무덤에서 가까운 곳에 묻히기를 원해 런던에서 장례식을 하고 이곳에 묻혔다.

야링톤(Yarlington)의 악명 높은 사건

도체스터에서 북쪽으로 27마일 떨어진 야링톤은 인구가 120여 명 되는 시골 마을로써 사과를 빚어 만든 술사이다가 유명하며 가을에 새로 빚은 사이다를 마시며 시와 노래와 민속춤을 추는 축제가 열린다. 그 뿐 아니라 계절마다 농산물 축제가 있어 영국의 옛 풍속의 맛을 볼 수 있는 곳이다.

토마스 하디가 1886년에 쓴 〈카스터브리지 시장〉은 카스터브리지
(도체스터의 가상적 이름) 두 시장의 이야기이다. 하나는 권력은 있지만 심
적으로 불안정한 마이클 헨챠드, 그는 천성적으로 부지런하여 혼자 힘
으로 성공하여 시장이 되었고, 또 하나는 간사하고 계산적인 도날드 판
프레, 그가 마이클 헨챠드 밑에서 일하다가 나중에 마이클 헨챠드가
소유하고 있는 재산과 사랑하는 여인까지 차지하고 시장이 된다.

헨챠드가 젊었을 때 일자리를 찾지 못하고 장터에서 술을 마시다가
아내를 경매해서 파는 이야기가 나오는데, 이 이야기는 토마스 하디가
야링톤 장터에서 일어나는 이야기에서 영감을 얻은 것이다. 야링톤에
는 영국 서부지방에서 가장 커다란 농산물 장터가 있었다. 1789년 이
장터에서 기이한 사건이 벌어졌다.

로버트 아트윌(Robert Atweel)이 자기 부인 엔(Anne)을 5실링
(Shilling)에 팔았다. 엔은 관습에 따라 긴 줄에 묶여, 이 여인을 잘 돌보
아 주겠다고 약속한 토마스 와드헴(Thomas Wadham)에게 전달되었다.
당시에 개화가 뒤늦은 시골 마을에서 빈번이 일어나는 일이었으며, 야
링톤 농산물 시장에서 1780~1850년 사이 300건이나 기록되어 있다.

소설 〈카스터부리지 시장〉은 그 내용이 문학적으로나 시대적으로
가치를 높게 평가받는 작품으로 대학 입학시험 과목 중에 포함되어 있
어 반드시 수험생들이 공부해 두어야한다.

스톤헨지(Stonhenge)

토마스 하디가 쓴 〈테스〉의 마지막 장면에서 테스와 에인절이 한
없이 걷다가 한밤중에 스톤헨지에 와서 옛날에 제사를 지내던 돌 위
에 누웠다. 테스가 잠들기 전에 에인절에게 자기 여동생 리사-루를 돌
보아 주기를 부탁하고 자기가 죽으면 동생과 결혼했으면 했다. 새벽에

에인젤이 일어나 옆에 순경들이 둘러서 있는 것을 보고 정말로 테스가 살인을 범한 것을 확인하게 되었다. 그들에게 테스를 조용한 목소리로 깨우기를 부탁한다. 테스가 일어났을 때 에인젤에게, "나는 이제 마음이 편하네요, 더 이상 당신이 나를 미워하지 안 해도 되니까요."라고 마지막으로 말했다. 테스는 윈톤스터(Wintoncester- Winchester의 가상적인 이름)로 끌려갔고 끝에는 에인젤과 리사-루가 가까운 언덕위에서 사형을 알리는 검은 깃발이 형무소 위에 휘날리는 것을 보고 둘이서 손을 잡고 떠난다.

필자는 영국에 와서 스톤헨지를 알기 전까지는 왜 테스가 마지막 죽는 길을 이교도의 두루이드가 제사를 지내는 곳에서 맞으려고 했을까를 생각해보지 못했다.

스톤헨지는 도체스터에서 49마일 떨어진 솔스버리(Salisbury) 평야에 선사시대 세워진 거석으로 아직도 누가 무엇 때문에 세웠는지 알 수가 없어 수수께끼라기보다 신비스러운 유적이다. 세계에서 인간이 만든 가장 오래된 건축물 중에 하나이며 중세의 세계 7대 불가사의 중의 하나이기도 하며 1986년에 유네스코에서 세계유산으로 선정했다.

매년 하지 날 아침, 동이 뜨면 수만 여명의 마녀, 토속 신앙인과 드루이드(Druid)들이 몰려든다. 아침 동이 뜨면 윌셔(Wiltshire)의 질척한 땅위에 서서 검은 망토를 입고 무릎 위까지 오르는 장화를 신고 말할 때마다 머리 위에서 위아래로 움직이는 커다란 두 개의 뿔을 쓴 탈로라고 부르는 사슴 대장이 서있고, 옆에는 멜킨이라고 부르는 선량한 사람이 서있는 데 그는 '고인돌 숲 마녀의 소굴(Dolmen Grove Coven)'의 드루이드 대장으로 녹색 긴 외투를 입고 찬바람을 피해 웅송그리며 서서 두 개의 사슴뿔이 꽂힌 6척의 너도밤나무 긴 지팡이를 잡고 있다. 드루이드와 마녀들이 제사를 지낼 때 히피, 학생들, 술 취한 망나니, 구경꾼들 그리고 긴장한 수백 명의 경찰들 모두가 카나비스 연기의 물결에

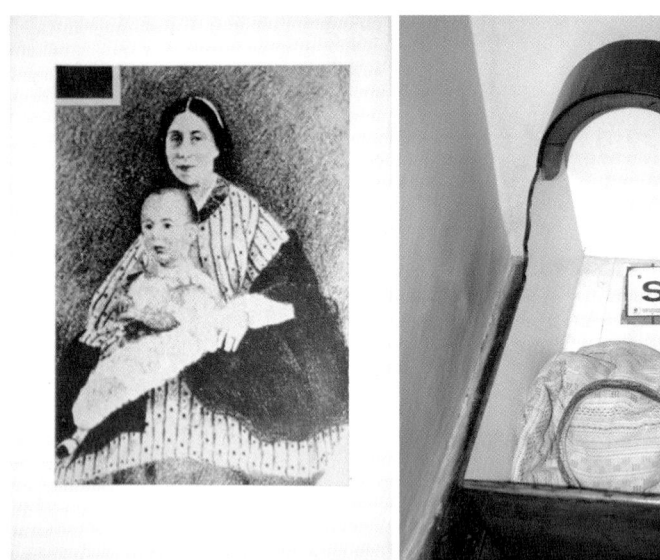

토마스 하디의 아기 모습과 침대

휘청거린다.

　토마스 하디는 어렸을 때 성 미카엘 교회에서 삶을 읽고 배웠으며 나이 20세 까지 성공회 신부가 되는 것을 바랐으나 경제적인 사정으로 대학에 진학할 수가 없었고, 런던에서 건축 견습생으로 있을 때 신분차별을 많이 느껴 종교적인 갈등이 생겼고, 결국은 후에 불가지론자가 되었다. 테스가 자기 아들에게 세례를 주고 이름을 '슬픔'이라 지어주었는데 당시 여자, 더군다나 미혼모가 세례를 준다는 것은 상상할 수 없는 일이었고 버림받은 애들이 묻히는 교회 마당 구석에 묻고 빈 잼병에 십자가를 만들어 꽂아주었으며 죽음의 사신에 쫓기는 테스는 이교도들이 제사를 지내는 제대 위에 누워 마지막 운명을 기다리게 한 작가의 깊은 탄식과 같은 의도를 필자는 곰곰이 생각해 본다.

장제스의 고향 쉐다오산(雪竇山)

글,사진 **김 연 수**
(기자, 사진작가)

쉐다오산 중턱에 자리 잡은 쉐다오사(雪竇寺)의 미륵불인 포대화상. 중국정부
가 불교사찰들을 복원하면서 최근에 만든 것으로 높이가 50m나 된다.

중국 저장성 평화(奉化)시 시커우(溪口)는 장제스(蔣介石)의 고향이다.
한때는 중국을 호령했던 국민당정부의 주석을 지냈고, 타이완국민정부
의 초대 주석이었던 장제스가 마오쩌둥(毛澤東)이 이끄는 중국 공산당

에 밀려 타이완으로 도망가기전, 그의 아들 장징궈(蔣經國)와 함께 울분을 삭이며 걸었던 고향 길을 걸었다.

중국 평화시가 중국 국가급풍경명승구인 쉐다오산을 해외관광객들에게 개방하면서 장제스의 고향마을도 관광지로 탈바꿈하고 있다. 장제스의 고택이 있는 고거리엔 국민당 정권시절의 생활상과 국민당 군복을 입은 장제스 닮은꼴이 관광객을 유인하고 있다. 과거에 적대시 했던 정권의 문화를 재현한 모습에 분단국가의 이방인은 움찔했지만, 정작 중국관광객들은 이들과 기념사진을 찍고 즐겁기만 하다. 승자의 여유인지, 역사를 제대로 알고 있는지, 상술에 능한 중국문화를 조금 이해할 것 같았다.

장제스 고택 앞을 흐르는 하천의 상류엔 쉐다오산과 쉐다오사(雪竇寺)가 있다. 겨울철 눈이 오지 않는 지역에 왜 눈 설(雪)자를 사용했을까? 기자의 의문에 안내인은 산을 멀리서 보면 하얀 구멍이 나있는 것처럼 보이는데, 그것이 눈이 쌓인 것 같아서 붙인 이름이라고 한다. 하

저장성 평화시 시커우(溪口)의 장제스(蔣介石)고택. 소금상이었던 아버지와 같이 살았던 집으로 장제스는 경제적으로 부유한 어린 시절을 보냈으나, 어머니가 일찍 돌아가셔서 계모 밑에서 자랐다.

지만 보타산 구화산 오대산 아미산과 함께 5대 불교사원인 설두사는 선(禪)계의 두보로 불리는 설두스님이 공안선을 완성한 곳이다. 지금은 설두스님의 자취는 없고, 크기가 50m에 이르는 미래불 포대화상이 방문객을 맞이한다. 청동 1,200톤이 사용된 포대화상은 우리나라의 미륵불처럼 인자한 멋은 없지만 배도 나오고 넉넉한 표정을 짓고 있다.

장제스의 산책길에서 쉐다오산 정상을 밟고 오는 등산길은 약 3시간이 소요됐다. 가파른 돌계단과 일부 급경사가 부담스러웠지만, 상은담, 중은담, 하은담으로 이어지는 크고 작은 폭포들의 이어짐은 발걸음도 쉬면서 시원한 물소리에 젖은 땀을 식히는 청량제 역할을 톡톡히 했다. 쉐다오산 폭포의 압권은 산 정상에서 바닥으로 떨어지는 높이 186m의 천장암 폭포다. 높이가 하도 높아 폭포수도 중간에 쉬어가는 천장암 폭포의 정상을 밟았더니, 뜻밖에 상류에 보조 댐이 있었다. 갈수기에도 적당한 물이 떨어지도록 인공적으로 만든 것이다. 밑에서의 감흥이 다소 떨어졌지만, 이 역시 '중국문화'다 라는 생각이 들었다.

쉐다오사(雪窦寺)의 대웅전 앞에서 향을 피우고 소원을 비는 중국의 서민들. 문화혁명 때 탄압받았던 불교가 회복되면서 중국의 사찰에는 어디를 가나 가족의 행복을 기원하는 신도들로 넘쳐 난다.

쉐다오산 산
정상에서 바
닥으로 떨어지
는 높이 186m
의 천장암 폭
포. 물이 부족
한 갈수기에는
상류에 설치된
보조댐에서 물
을 방류해 연
중 마르지 않
는 폭포수를
만든다.

쉐다오사(雪竇寺)의
오래된 다리에 새겨
진 현장법사의 서역
방문 부조상. 서유기
의 내용처럼, 손오공
이 현장법사에게 엎
드려 절하는 모습이
새겨져 있다.

저장성 평화시 고교생들이 중국의 상징인 용춤을 관광객들에게 선보이고 있다.

저장성 평화시 시커우(溪口)의 장제스(蔣介石)의 고향마을에 중국 국민당정부
시절의 문화상을 재현, 관광객들의 눈길을 끌고 있다.

　　장제스의 고향마을과 쉐다오산의 관광지화는 한국관광객보다는 대
만 관광객들에게 더 흡인력이 있을 것 같다. 다음에 다시 이곳을 찾을
때는 장제스, 마오쩌둥과 함께 당대를 풍미했던 장쉐량(張學良)의 유배
지를 꼭 들러보기를 다짐하면서……

스페인의 바르셀로나

– 다시 가보고 싶은 곳

글,사진 **장 덕 환**
(교수, 본회 회장)

스페인 여행 중에 꼭 가고 싶었던 바르셀로나를 빼놓을 수 없었다. 바르셀로나는 프랑스 국경을 접하고 있고 지중해를 사이에 두고 이탈리아와 마주보고 있는 지리적 환경으로 인해 스페인에서 가장 서구적인 분위기의 독자적인 문화(文化)를 형성하였다.

스페인 제2도시인 바르셀로나는 시(市)인구가 약 200만 명으로 스페인 국민 총생산량의 20%를 차지하고 있는 스페인 최대의 상공업 도시이다.

바르셀로나에 거주하는 근면한 카탈루냐 인들은 무역을 통해 많은 부를 축적해 왔고 그 부를 바탕으로 예술에 대한 심미안을 길러 파블러 피카소(Pablo Picasso), 호안 미르(Joan Miro), 살바도르 달리(Salvador Dali) 등의 화가, 모더니즘 건축의 대가인 안토니 가우디(Antoni Gaud) 등의 특출한 예술가들을 배출하였다.

바르셀로나(Barcelona)는 기원전에 페니카 인들에 의해 부락이 형성되었으며 기원전 3세기까지 카르타고 인들이 지배하였다.

당시 바르셀로나 지역 통치자의 성이 바르카(Barca)였으며 그는 한니발 장군의 아버지라고 한다.

가우디 사그라다 파밀리아 성당

바르셀로나에는 볼거리가 많다.

먼저 사그라다 파밀리아(가족성당)로 발을 옮긴다.

사그리다 파밀리아(Sagrada Familia/ Temple Expiatori de la Sagrada Familia) 사그리다 파밀리아는 스페인의 세계적인 건축가 안토니오 가우디이코르네트(Antonio Gaudi y Cornet)가 설계하고 직접 건축 감독을 맡은 로마 가톨릭교의 성당(聖堂) 건축물이다.

사그리다 파밀리아는 '성(聖) 가족'이라는 뜻으로, 예수와 마리아 그리고 요셉을 뜻한다. 원래는 가우디의 스승인 비야르(Franciscode Paula del Villar y Lozano)가 설계와 건축을 맡아 성 요셉 축일인 1882년 3월 19일에 착공하였으나, 비야르가 건축 의뢰인과 의견 대립으로 중도에 그만 두고 1883년부터 가우디가 맡게 되었다.

가우디는 기존의 작업을 재검토하여 새롭게 설계하였으며, 이후 40여 년 동안 성당 건축에 열정을 기울이다가 1926년 6월 사망하였다. 그때까지 일부만 완성되었다.

건축 자금은 후원자들의 기부금만으로 충당하여 공사가 진행되었으며, 공사 중에 스페인 내전과 제2차 세계대전 등의 영향으로 공사가 중

단되기도 했었다. 1953년부터 공사를 재개하여 현재까지 진행 중에 있다. 가우디 사후 100주년이 되는 2026년에 완공할 예정이라고 한다. 착공 후 완성 예정까지 140년이나 걸리는 셈이다.

완성될 경우 성당의 규모는 가로 150m, 세로 60m이며 예수그리스도를 상징하는 중앙 돔의 높이는 약 170m라고 한다. 대단한 규모의 성당이다.

건축 중의 성당의 모습도 타의 추종을 불허하는 대단한 모습을 보여주고 있다.

건축양식은 입체 기하학에 바탕을 둔 네오고딕이며, 구조는 3개의 파사드(Facade :건축물의 주된 출입구가 있는 정면부)로 이루어져 있다. 가우디가 사망할 때까지 완성한 파사드는 그리스도의 탄생을 경축하는 '탄생의 파사드'뿐으로 가우디가 직접 감독하며 완성하였다. 나머지 2개의 파사드 중 '수난의 파사드'는 1954년에 착공하여 1976년도에 완성되었다고 하며, 나머지 '영광의 파사드'는 2002년이 되어서야 착공하였다고 한다.

3개의 파사도에는 각각 4개의 첨탑이 세워져 총 12개의 탑이 세워지는데, 각각의 탑은 12명의 사도(제자)를 상징한다. 모두 100m가 넘는다. 중앙 돔 외에 성모마리아를 상징하는 높이 140m의 첨탑도 세워진다고 한다. 탑은 옥수수 모양으로 생겼고, 내부의 둥근 천장은 나무처럼 생긴 기둥이 떠받히고 있으며, 천장은 별들 모양의 기하학적 무늬로 가득 차 있다.

그 예술적 가치는 나로서는 도저히 가늠하기가 어려운 훌륭한 하나의 거대한 작품이다.

구엘 공원으로 가기 전 카사밀라와 마주 보고 있는 가사바트요를 둘러보다.

카사밀라는 바르셀로나를 상징하는 건축물 중 하나로 1984년에 유네스코 세계문화유산으로 지정되었다. 카사밀라는 1906년에 설계해 1910년에 완공했다. 가우디의 가장 시적

카사밀라

이고 기념비적인 작품이다. '라 페드레라(돌로 만든 마름모꼴 타일)'라고도 불리는데 고정화된 기존의 건축(일직선, 사각형 등)양식을 벗어나 새로운 시도를 하여 당시에는 혹평을 받았다.

산을 주제로 디자인하여 외벽을 석회암과 철을 이용해 파도처럼 굽이치는 부드러운 곡선 모양으로 지은 저택이다. 당시 신도시 계획 하에 세워진 아파트이다. 불행히도 내부는 둘러보지 못했다.

카사밀라와 마주 보고 서있는 카사 바트요는 1904년에 시작하여 1906년에 완공한 바다를 주제로 한 가우디의 걸작 중에 하나이다.

직물업자 바트요를 위해 지은 저택으로 외관은 바르셀로나의 수호성인(守護聖人)인 성 조지의 전설(기사 게오르기우스가 악한

카사바트요

용과 싸우는 황금전설)을 담고 있다. 벽을 덮고 있는 청록색 세라믹은 용의 껍질을, 발코니의 기둥은 시체의 해골과 뼈를 연상케 한다.

외관 정면은 세라믹 조각과 원형 타일로 마감해서 햇빛을 받아 거대한 보석처럼 가지각색으로 빛이 난다. 내부는 불행히도 시간이 없어 보지 못하고 발걸음을 돌렸다.

다음으로 가장 색상이 화려한 구엘 공원으로 가다.

가우디의 경제적 후원자였던 카탈루냐의 실업가 에우세비 구엘이 런던 정원을 모델 삼아 이상적인 전원도시를 조성하기 위해 가우디에게 설계를 의뢰했다. 1900년경 지중해가 보이는 시내 외곽 언덕에 신주거지 60호를 건설해 분양할 계획이었으나 재정적 이유로 1914년까지 기거하던 집(현재 가우디 박물관으로 사용)을 포함한 두 개의 중앙광장, 타일 벤치 등만 지은 채 방치되었다가 1922년 바르셀로나 시의회가 이 땅을 사들여 이듬해 시립공원으로 꾸며 일반인에게 공개했다.

유네스코 세계문화유산으로 지정되었으며 가우디의 작품 중 가장 색상이 화려하다. 공원의 가장 평범하지 않는 건물은 요정 같은 주 출입구이다. 입구에서 볼 때 오른쪽은 경비실이고 왼쪽은 사무실인데 모

출입구 중앙 분수

요정 같은 출입구

자이크로 뒤덮인 외관이 독특하다. 과자와 같다 해서 '과자의 집'이라고도 불린다.

주출입구를 지나면 계단이 있는데 계단 중앙에 화려한 색상으로 모자이크한 2개의 분수대가 있다. 연금술 상징하는 도롱뇽과 의술의

동 뿔이 달린 도룡용

신 아이스쿨라비우스를 상징하는 청동 뿔이 달린 뱀 머리가 조각되어 있다.

계단 끝은 바로 장터인 중안 광장으로 연결된다.

1층은 중앙 광장 룸이고 2층은 중앙광장이다. 1층은 유리와 도자기(세라믹)로 만든 86개의 도리아식 기둥이 지붕을 받혀주고, 천장은 변화무쌍한 타일 조각, 파편된 병과 돌을 재료로 한 4개의 태양 모양(4계절을 의미 한다고 함)의 원반형으로 장식되어 있다. 이를 설계한 건축가는 가우디의 협력자인 죠셉 후홉이다.

광장으로 이어지는 독특한 모양의 경사진 통로로 올라가면 중앙광장이 나온다. 광장에서 가장 눈에 띠는 물결 모양의 벤치는 형형색색의 타일을 이용해 뱀처럼 돌아가며 설치된 열린 공간이다.

벤치에 앉아 있으면 멀리 시가지

뱀처럼 돌아가는 벤치

와 지중해가 한눈에 들어온다. 언덕을 감싸고 있는 미로 같은 구불구불한 구름다리와 현관 지붕도 인상적이다. 보행자 통로는 현지 돌을 사용해 아치형으로 만들었는데 얼핏 보면 나무로 만든 착각이 든다.

가우디의 상상력과 천재적인 감성에 놀라지 않을 수 없다.

바르셀로나 하면 올림픽을 치룬 곳으로 당시 우리나라 황영조가 마라톤에서 영예의 1등 금메달을 목에 걸었던 감격의 올림픽 주경기장이 있는 몬주익(Montjuic) 언덕에 오르다.

바르셀로나 남서쪽의 몬주익 언덕(일명 마술의 산)은 나지막하지만 가파른 전망 좋은 위치에 있으며 정상에는 몬주익 성이 있다. 몬주인 언덕 정상에 있는 전망대에 서면 바르셀로나 시내와 지중해를 끼고 있는 장관이 펼쳐져 있는 것을 볼 수 있다.

이곳은 1929년 만국박람회 개최 이후 공원으로 개발 되면서 미르 미술관, 카탈루나 미술관이 개관되어 있다. 1992년 바르셀로나 올림픽이 개최되면서 올림픽 주경기장을 비롯한 스포츠 시설과 기념공원, 스페인 마을 등 다양하게 갖추어 져 있다.

우리 일행은 바르셀로나 올림픽에서 올림픽의 꽃인 마라톤 경기에서 우승 금메달을 따 국위 선양한 황영조 선수의 조각상이 있는 몬주익 언덕에 올랐다.

황영조의 조각상, 아래 태극기

그 곳에서 황영조의 조각상과 올림픽 주경기장 관람을 하고 전망대 아래 펼쳐진 장관을 구경하다.

다음날 파세이크 데 그라시아 호텔을 나서 람블라스 거리로 갔다.

북쪽 카탈루나 광장에서 남쪽 항구의 포르탈 데 라 파우 광장까지 1Km에 이르는 거리로 도로변에 플라타너스 가로수가 빽빽이 들어 서있어 도시의 삭막함을 없애주고 있다.

서머싯 모옴이 '세계에서 가장 매력 있는 거리'라고 말했던 람블라스 거리의 람블라스의 뜻은 아랍어로 강바닥(Raml)을 의미한다고 한다. 피카소, 달리, 미로가 이 길을 자주 거닐었다고 한다. 이 거리는 많은 여행자들로 붐볐다.

콜럼버스 탑

메트로 리세우역 부근의 산책로 바닥에는 미로가 디자인 한 다채로운 모자이크가 깔려있다.

거리 중간쯤에는 바르셀로나 최대의 재래시장인 보케리아 시장이 있

어 들어가 보았는데, 싱싱하고 다양한 채소와 생선, 고기, 다양한 햄 등이 진열되어 있는데, 과일을 종류별로 삼각으로 산 모양처럼 쌓아 놓은 것이 특이하다. 우리는 열대지방의 이름 모를 과일을 사가지고 계속 걸어 내려 왔다. 오페라의 전당인 리세우 극장, 레이알 광장, 구엘 저택이 나온다. 레이알 광장부터 람블라스 거리의

종점인 콜럼버스 탑이 있는
포르탈 데 라 파우 광장까지
걸었다.

람블라스 거리를 걷다 보
면 골목이 많은데 분위기 있
고 색다른 가게가 많았다.

빠에야(스페인 볶은 밥)

그 곳에서 피카소의 그림 여인의 흉상의 나무 조각 한 점을 기념으로
샀다.

람블라스 거리가 끝나고 바르셀로네태 해변의 선착장에 있는 레스토
랑에서 빠빠야로 점심을 하고 콜럼버스 기념탑으로 갔다.

콜럼버스 기념탑안의 엘리베이터를 타고 전망대로 올라가서 한 눈에
들어오는 아름다운 시내 항구와 시가지를 구경했다.

바르셀로나에는 천재적 소질을 가진 유명한 화가들이 많다. 따라서
몬주익 언덕, 람블라스 거리에 유명한 미술관들이 있는데, 그 중 우리
는 가장 인기 있는 피카소 미술관을 선택했다.

피카소 미술관은 고딕지구의 중세 분위기가 풍기는 몬카다 거리 모
퉁이에 위치해 있다. 이 미술관은 5채의 귀족 저택을 고딕양식으로 개

피카소 미술관 내부

조한 것이다.

피카소 미술관은 1963년 피카소의 오랜 친구 하이메 샤바르테스가 기증한 피카소의 작품을 전시 하면서 개관했다. 1968년 샤바르테스가 죽으면서 기증한 작품과 피카소가 소장한 초기 작품을 기증하면서 미술관이 확장되었다고 한다.

스페인 출신의 대표적 현대미술가 파블로 피카소는 말라가에서 태어나 미술교사인 아버지를 따라 1895년 13세에 바르셀로나로 이사해 이곳에서 교육을 받았으나 19세 때 미술공부를 위해 스페인의 수도 마드리드, 프랑스 파리를 거쳐 23세에 파리에 정착했다.

피카소 미술관에는 피카소의 소년, 청년기, 말년에 그렸던 스케치, 습작, 판화, 도자기 등이 가장 많이 전시되고 있었다. 15~16세에 그렸던 초기 작품들에서도 그의 천재성을 엿볼 수 있었다. 15세 때에 그린 '자화상', '집', '프라도 살롱' 그 외 10대 때에 제작한 '과학과 자비', '8번 전시실', '아롤레킨', '12번 전시실', '첫 영성체' 등과 말년의 작품 '비둘기', '17번 전시실', '시녀들' 그리고 그가 존경했던 스페인 화가 벨라스케스의 시녀 등을 응용한 연작들을 볼 수 있었다.

1955년의 〈알제의 연인〉이나, 57년의 〈궁녀들〉의 연작에서는 어느

피카소 그림, 소나무아래 裸婦

것이든 실내가 무대였으나 위의 피카소의 그림 소나무 아래의 나부는 화면을 가득 채우는 나무들 풍경 속에 배치하고 있다. 피카소가 1959년에 그린 것으로 피카소의 당시 나이가 78세였다고 한다.

문화 예술의 도시 바르셀로나를 돌아보면서 정치학자로서 나는 정치 문화 측면도 잠시 생각해 본다. 20세기 이전에는 권력을 쟁취하고 지배하는 정치 문화였다면 21세기에 와서는 영혼이 깃드는 정치 문화를 이루어 가고 있다고 생각한다.

영혼의 정치란 더 나은 공동체를 추구하는 정치, 인간존재의 가치를 성찰하는 정치, 지구와 우주, 인간의 구성체를 자각하는 것이다. 그런 포괄적 정치 문화 예술의 도시로 발전해 가면 좋을 것이라고 추정해 본다.

슬로베니아 아드리아해 연안 여행기

글,사진 **전 효 택**
(수필가, 교수)

　슬로베니아는 동유럽 발칸반도의 북서부에 위치한 인구 200만 명이 조금 넘는 소국이다.

　구소련의 식민지였던 유고슬라비아 연방에서 1991년 독립하였으며 서쪽으로 이탈리아, 북쪽으로 오스트리아와 헝가리, 동쪽과 남쪽으로 크로아티아와 인접하고 있으며 동유럽에서는 1인당 국민소득이 가장 높은(약 23,000불) 나라이다. 이 나라는 남서쪽 끝 부분에 아드리아(Adria)해와 해안선이 약 30km에 걸쳐 접하고 있다. 유럽환경화학회 년차 학술회의가 아드리아해 연안의 포르토로즈(Portoroz)에서 2010

년 12월 8일(수)부터 11일(토)까지 개최되어 석사과정 학생 1명과 함께 참가하였다. 나의 경우 슬로베니아는 2번째 방문이며 지난 2004년 6월 말- 7월 초에 수도인 류블리아나(Ljubljana)에서 수은(Hg)오염학회가 개최되어 1주일간 참가한 적이 있다. 이 나라에는 세계에서 2번째로 수은 생산량이 많았던 이드리야(Idrija) 수은 광산이 있어 항상 주변 강대국의 침략 대상이 되어왔다.

12월 7일(화) 비가 오는 가운데 인천공항 출발 루프트한자 항공편으로 12시간 비행하여 뮌헨에 도착하고 다시 아드리아 항공편으로 1시간 비행하여 류블리아나에 도착하였다.

슬로베니아 지질조사소의 G 박사의 마중으로 2004년 처음 방문 당시 숙박한 파크호텔에 여장을 풀었으며 이곳도 비가 오고 있었다. 다음날 정오부터 90여 분간 지질조사소에서 '한국에서의 지난 20여 년간의 환경지구화학 연구' 주제로 초청강연을 하였으며 50여명의 학생 및 연구진이 참석하였다.

강연 후 지질조사소 소장님과 상담을 하고 오후 2시가 되어서야 점심을 대접 받았다. G 박사의 배려로 승용차로 한 시간 반 정도 걸리는

학회 장소인 포르토로즈(Portoroz)에서 보이는 아드리아 바다.

바다 건너로 보이는 육지가 크로아티아의 이스트라(Istra) 반도

포르토로즈의 학회장 베르나르딘(Bernardin) 호텔까지 친절하게 태워다 주었다. 이 날도 여전히 비가 오고 안개가 자욱하였다. 숙소는 이 회의장 4층이었고 아드리아 바다가 바로 밑에 보이는 최고의 경치였다.

저녁에는 학회 개최 시작의 작은 환영파티가 개최되었다. 2004년 6월 류블리아나에서 수은오염학회 개최 기간 중 반나절을 시간 내어 아드리아해 연안의 항구도시 코페르(Koper)에 기차로 온 적이 있는데 6년 만에 다시 아드리아해를 방문하는 셈이었다. 체코-슬로바키아 경계에 위치한 현대자동차 동유럽공장에 납품되는 물류들이 아드리아해의 코퍼(Koper) 항구로 유입된다 한다. 숙소 창문 남쪽으로 크로아티아(Croatia)의 이스트라(Istra) 반도가 가까이 바라 보였다.

학술발표회는 12월 9일(목)부터 3일간 개최하였으며 30개국에서 200인 이상의 대표가 참가하였다. 우리 팀은 광산주변 중금속 오염토양의 미생물에 의한 복원 처리에 대한 발표를 하였다.

숙소에서 해안가 동쪽으로 약 1km 떨어진 피란(Piran) 마을을 방문하였다. 피란 마을은 국내 TV 여행채널에서도 소개된 유명한 관광지이며 방문 시기가 12월 초순 겨울이어서 인지 비교적 한산하였다. 마을 광장에는 이 마을에서 태어난 슬로베니아를 대표하는 음악가 타르티니(Tartini) 동상이 있다. 해안을 따라 산보코스가 잘 되어 있다. 마을은 언덕을 중심으로 중앙에 교회가 있는 모습이 유럽의 공통점이다. 이 마을의 골목골목을 돌며 기념품점에 들리고 해안도로를 걸어도 반나절이면 충분하다.

숙소 비용은 학회 개최 팩키지 요금임에도 일박에 싱글 107유로, 더블인 경우 일인당 70유로로서 저렴한 편은 아니었다. 겨울임에도 아드리아 연안이어서 선선하며 영하 이하로 내려가지는 않는 듯 했다.

12월 11일(토) 오전 11시 미니버스로 포르토로즈를 출발하여(1인당

마을 피란(Piran), 광장에 교회가 보이며 광장 중앙에 이 마을 출신인 슬로베니아를 대표하는 음악가 타르티니(Tartini) 동상이 있다.

35유로) 한 시간 30분 걸려 다시 류블리아나 파크 호텔 도착, 1박 후 아드리아항공으로 뮨헨으로 이동하였으며 뮨헨에서 루프트한자 항공으로 10시간 비행 후 인천공항에 도착하였다.

이 학회 참가 시 인상적인 점은 역시 아드리아 바다와 해안 관광지인 피란 마을의 전경이었다. 시간 여유만 있다면 해안선 남쪽을 따라 크로아티아의 스프리트(Split)를 거쳐 '아드리아의 진주'라는 최남단의 두브로브니크(Dubrovnik)까지 여행하고 싶었다. 이미 크로아티아 여행 책자를 여러 권 섭렵하였으니 물리적으로만 방문을 못하였을 뿐 여행정보는 충분한 편이다. 숙소에서 바로 밑으로 보이던 진한 청색의 조용한 아드리아 바다와 피란 마을의 아기자기한 전경이 아직도 눈에 삼삼하다.

피란(Piran) 마을의 선착장과 등
대 및 마을 전경

일본 큐슈 운젠(雲仙) 화산

글,사진 **전 효 택**
(수필가, 교수)

일본 큐슈 후쿠오카(福岡) 공항에 도착하여 대기된 버스에 올라 약 2시간 반 버스로 이동 운젠(雲仙)으로 향하였다. 나가사키(長崎) 고속도로 오른쪽에서 해안이 보이기 시작하였으나 나가사키는 이번 지질답사에는 포함되어 있지 않다. 나가사키는 17~19세기 일본이 외국의 문물을 받아들인 유일한 항구이며 일본 천주교의 발상지이고 네덜란드 동인도회사의 무역사무실이 설치된 곳이다. 푸치니의 오페라 '나비부인'의 무대인 도시이며 원폭이 투하된 장소(1945년 8월 9일)이기도 한 도시이다. 이번에는 그냥 지나치지만 다음에 기회 있을 때 방문하여야지 기대한다.

운젠(雲仙) 지옥 계곡에 도착하여 지옥 계곡에 들어서자 유황 냄새와 솟아오르는 하얀 가스를 볼 수 있고 지표면 곳곳에 노란 유황 입자를 관찰할 수 있었다. 운젠을 최초로 개방한 사람은 AD 701년 나라시대의 명승인 교키(行基)라 하며 당시 운젠은 여성 금지의 영산으로서 서쪽의 고우이산(高野山)이라고 불릴 정도로 번성하였다하며 따라서 분기장소에는 당시의 불교신화에 의거한 이름이 많이 지어졌다 한다. 일본 최초로 1934년에 국립공원이 되었고, 1956년에 아마쿠사(天草) 지역이 추가되어 운젠-아마쿠사 국립공원이 되었다. 운젠 지옥은 시마바라(島原) 반도 중앙에 우뚝 솟은 운젠다케(雲仙岳)의 호흡을 관찰할 수 있는 장소이며 운젠다케의 마그마 공간은 이곳 서쪽의 다치바나 만 해저 밑에 있는 것으로 알려져 있다.

운젠다케의 주봉인 후겐다케(普賢岳)의 헤이세이(平成: 일본의 시대 구분으로 1989년 1월 8일부터 현재에 이름) 분화(1990~1995)시에는 마그마 챔버에서 마그마가 상승하여 화구를 통해 분출되었지만 평소에는 화산가스만 상승하고 있으며 지하수나 빗물이 섞여 온천이 된다 하였다.

오바마(小浜) 온천, 운젠 온천, 시마바라 온천은 동일한 마그마 챔버에서 유래되지만 마그마 챔버로 부터의 거리에 따라서 화산가스의 성분이 변화하기 때문에 각각 수질과 색상에 차이가 있다. 운젠 지옥은 고온의 황화수소가 지표의 암석을 녹여 하얀 진흙을 만들고, 하얀 분기와 함께 주변 일대를 뒤덮은 모습이 마치 생명체가 없는 것처럼 보여서 지옥으로 불린다 한다. 실제로는 하늘지기와 철쭉류 같은 황화수소에 비교적 강한 식물이 분포하며 독특한 생태계를 형성하고 있다.

골짜기의 지옥 이름도 오이토 지옥(남편을 죽인 오이토라는 여인이 처형될

운젠(雲仙) 지역을 표시하는 안내비와 운젠 지옥 안내도

운젠(雲仙) 지옥 계곡. 노란색의 유황 침전물이 잘 보이고 있다

무렵 이 지옥이 분출됨. '가정을 어지럽히면 지옥에 떨어진다'는 지옥), 하치만(八萬) 지옥(불교에서 말하는 인간의 마음속에 84,000 가지의 잘못된 행동), 다이쿄칸(大叫喚; 지옥에서 외치는 소리와 울부짖는 소리를 의미) 지옥 등의 이름이 붙어 있다.

후겐다케(普賢岳) 하부 도로변에서 최근(1990-1993)에 분출된 화산재와 파편 퇴적층

지옥 온천 계곡은 과거 귀족이나 무사 계급의 휴양지, 부상병의 휴양소, 신혼 여행지로 유명하다. 약 1시간여의 답사 후 구불구불한 왕복 2차선 산길 도로를 따라 오후 4시 30분 경 후겐다케(普賢岳, 1,359m) 하

부처님이 누운 형태라는 후겐(普賢)사마, 지난 1990년의 대폭발로 43명이 희생되었으며 분출된 토사들은 동쪽으로 7.5km 떨어진 해안까지 흘러간 흔적이 지질도에 나타나 있다.

부 도로변에서 최근(1990~1993)에 분출된 화산재와 파편 퇴적층을 관찰하였다. 운젠 화산지역 지질공원에서 나온 Ono(大野) 박사는 이 지역의 화산 활동을 1990년 분화시 직접 조사하였다 하며 지표면에 나타난 1990~1993에 분출된 화산재 퇴적층 노두를 직접 보여주며 노두 사진 및 퇴적 단면도를 자세히 설명하였고 이 일대의 화산 지질과 화산 분출 및 피해지역을 정밀지질도로 보여주며 명쾌하게 설명하여 주었다. 지난 1990년에 일어난 대폭발로 43명이 희생되었고 후겐다케(普賢岳)에서 토사물(Block and ash flow and talus deposits)이 동쪽 방향으로 7.5km 이상 해안 까지 흘러간 흔적이 지질도에 나타나고 있다. 이날 저녁 묵게 될 난푸로(南風樓) 호텔 위치도 원래는 바다였으나 화산토사가 매몰된 곳이라 하였다.

오후 6시경까지 운젠다케(雲仙岳) 재해기념관을 방문하여 전시장을 견학하고 화산 폭발 및 매몰의 입체 영상을 감상하였다. 퇴근 시간 무렵까지 기념관 직원들이 보여준 친절, 특히 버스가 출발할 때 까지 손을 흔들며 작별 인사를 하여주는 배려가 고맙고 본받을 만 하였다.

숙소는 시마바라(島原) 반도 서안 부근의 난푸로(南風樓) 호텔- 저녁

시마바라(島原) 반도 서안 시마바라 만(1월 19일 아침 7: 18 호텔 숙소에서 보이는 일출)

식사는 일본 전통요리인 가이세키 요리. 필자가 묵은 방은 난방이 불량하여 춥고 전형적인 일본식 다다미방– 거실의 크기가 다다미 12매, 침실은 다다미 6매 크기의 방이어서 필자가 1980년 도쿄대학 유학시절 월세 방이 다다미 4매의 방 크기(책상 옆에 누우면 꽉 차는 공간)가 생각나서 세월이 지나며 참으로 많이 좋아졌다는 느낌이 들었다.

오스트리아 슈탄베르크 호수

- '시시(Sissi)' 황후와 루드빅2세 바이에른 왕의 애환이 서린 곳

글,사진 **남 정 호**
(저널리스트, 본지 독일 지부장)

뮌헨 시민들은 바다가 그리우면 인근의 슈탄베르크 호수(Stanberger see)를 찾는다. 남북으로 길게 뻗은 드넓은 호수 가에 서면 호수의 남

쪽 끝자락 너머로 초여름까지 눈에 덮인 알프스 산맥의 우람한 모습이 시야 가득히 밀려온다. 바람이라도 부는 날이면 호수를 휩쓰는 거친 파도가 마치 바다를 연상시킨다. 바람이 자는 날엔 돛 단 흰 보트들이 거울처럼 맑은 호수 물을 가르고 갈매기 떼들이 무리지어 그 위를 곡예를 하듯 나른다. 바로 한 폭의 아름다운 그림 같은 풍경이다. 그런 호수 주위를 마치

슈탄베르크 호수에 떠있는 보트

동화 속에서나 나올법한 아름다운 마을들이 점점이 숲에 감싸인 체 모습을 비죽이 드러내고 있다.

포센호펜(Possenhofen)과 펠다핑(Feldafing)은 그 가운데 대표적 마을이다. 호수 서편에 자리 잡고 있는 이 두 이웃 마을은 뮌헨 역에서 전철로 각 각 40~50분 거리다. 마을과 호수 중간의 짙은 숲 가장자리에 포센호펜성(Schloss Possenhofen)과 '엘리자베트 황후 골프호텔'(Golfhot el Kaiserin Elisabeth)이 각각 두 마을의 상징처럼 우뚝 서 있다.

호숫가 평온한 안식을 꿈꾸는 벤치들

포센호펜 전철역에서 내리면 옛 역사건물에 '엘리자베트 황후 박물관'이라는 문패가 걸려있다. 인생

의 부귀영화가 덧없음을 상징적으로 보여주고 세상을 떠난 오스트리아 합스부르크 왕가의 비운의 황후이자 헝가리 여왕이었던 엘리자베트에 연관된 각종 기록과 물품을 전시해 놓은 박물관이다. 이곳에서 호수 쪽을 향해 5분정도 걸으면 포센호펜 성이 나타난다. '시시'(Sissi) 라는 애칭을 지닌 엘리자베트 황후가 행복했던 어린 시절을 보내던 곳이다. 성에서 숲길을 따라 호수를 옆에 끼고 조용한 산책길이 2km 정도 이어진다. 봄과 여름에는 새들이 지저기는 소리와 호숫가에 부딪히는

포세호펜 성

포센호펜 기차역

청사장미의 섬

엘리자베트 길

파도소리, 그리고 숲속을 헤쳐가는 바람소리가 길 걷는 사람들의 가슴 속을 시원하게 훑는다.

긴 세월동안 오솔길이었던 이 길은 지금은 사람들이 즐겨 거니는 산책길이 됐다. 길은 숲속을 거쳐 '호수의 낙원'으로 불리는 '장미의 섬'(Roseninsel)을 잇는 뱃길 정박장으로 이어진다. 이 길을 사람들은 포센호펜의 '엘리자베트 길'(Elisabethweg)이라고 부른다. 엘리자베트가 소녀시절에 아버지와 함께 말을 타고 다니던 길이다.

엘리자베트는 포센호펜 성에서 잔디와 숲과 호수를 벗 삼아 부러울 것 없는 소녀시절을 보내던 중 갑자기 합스부르크 왕조의 프란츠 요젤 1세 황제의 황후로 발탁 된 행운아였다. 바이에른 왕국의 백작인 아버지와 루두빅(Ludwig) 1세 왕의 막내 동생인 공주 어머니 사이에서 태어난 아들 넷에 딸 다섯 가운데서 두 째 딸이었다. 엘리자베트가 합스부르크 대왕국의 황후가 된 것은 나이 겨우 16세였다. 1853년에 황제와 언니 네네 헬레네(Nenne Helene)가 오스트리아의 바드 이쉴(Bad Ischl)에서 갖게 된 약혼식에 동행했다가 한 눈에 반한 황제가 언니를 제치고 동생을 약혼자로 택하면서 '신데렐라'가 됐다.

그러나 이 행운은 그녀에게 '기구한 운명'을 가져다 준 서막이 된다. 자연을 벗 삼아 호반에서 발랄한 소녀시절을 보내던 엘리자베트는 곧 왕국의 수도인 빈(Wien)으로 옮겨진다. 유럽역사와 궁중의전과 무도회, 프랑스어와 이탈리아어를 배우면서 시어머니가 될 소피 황태후로부터 혹독한 궁정교육을 받는다. 그리고 그 해 8월 18일에 빈에서 역사상 가장 호화로운 결혼식을 올린다. 그러나 행복도 잠시, 곧이어 시련이 뒤따른다. 끊임없는 시어머니 황태후의 간섭과 잔소리, 옴짝달싹 할 수 없는 왕궁의 법도, 황실생활은 그에겐 '고문'이나 다름없는 고통을 안겨준다. 점차 그녀는 자신을 왕궁이라는 '새장'에 갇힌 한 마리 새로 생각하게 된다. 아들과 딸들은 놓자마자 양육권은 시어머니가 걷어 가버리고, 남편인 황제는 이탈리아와의 전쟁터에 나가 왕궁을 비우는 날들이 이어진다. 젊은 황후는 눈물로 밤을 지세우기 일쑤, 고독과 우울증과 신경쇠약으로 정신과 몸은 병들어갔다.

그의 마음은 밤이나 낮이나 어린 시절의 마음의 고향인 슈탄베르크 호수 가를 맴돌게 된다. 급속도로 건강이 나빠진 시시는 결혼 6년 만에 정처 없는 요양의 길을 떠난다. 그가 먼저 찾은 곳은 소녀시절에 그의 '낙원'이었던 포센호펜과 펠다펭이었다. 펠다펭의 호텔에 머물면서 호숫가를 거닐고 장미 섬을 찾아 몸과 마음을 추스르지만, 건강은 호전의 기미가 없자 다시 스페인과 그리스, 몰타와 트리에스터를 떠도는 요양생활의 방랑이 이어진다. 건강이 좀 호전된다싶으면 빈으로 귀환하지만, 다시 발병한 그는 다시 해외 요양생활을 반복한다. 나이 22세 때였다. 이때 이미 마음은 화려한 궁정을 떠나 있었다. 설상가상으로 큰 딸 소피가 세 살 때 죽고, 황태자인 루돌프 왕자가 마이어링(Mayering)의 하궁에서 비련으로 자살하는 충격적인 사건이 발생한다. 비극은 연달아 이어져 프랑스인 백작과 결혼한 막내 동생이 정신병으로 파리에서 자살하고, 한 때 남편이 될 뻔 했던 바이에른 왕국의 루드빅(Ludwig) 2세 왕이 왕위에서 퇴위 당한 뒤 호반 마을인 베르그(Berg) 앞 슈탄베르크 호수에서 의문의 익사체로 발견되면서 시시의 몸과 마음은 걷잡을 수 없이 무너져 내렸다.

시시와 '동화 왕'으로 불리는 루드빅 2세는 고종 사촌 사이로 한 때 약혼설이 있었으나 이루어지지 못했다. 시시는 초기 요양시절에 마음의 고향인 포센호펜과 펠다펭을 자주 찾았다. 지금은 '골프호텔이라

장미의 섬에서 루드빅 2세 왕과 시시가 이야기를 나누는 장면, 삽화

는 이름이 붙은 펠다핑 골프장 앞에 서 있는 이 호텔은 25년 동안 그가 찾곤 했던 정든 곳이다. 이 곳에 머물 땐 가까운 장미의 섬을 찾았고, 루드빅 2세 왕이 생존 해 있을 땐 고종사촌 간이던 그와 만나 서로 위로하면서 호반에서 마음의 평정을 찾으려 노력했다. 어릴 때 아버지와 자주 들리던 장미의 섬은 그에겐 추억이 어린 지상의 '낙원'이었다. 원래 이름이 뵈르트(Woerth)였던 이 곳에 정원을 꾸밀 때 장미 100송이를 심어 '장미의 섬'으로 불리기 시작했다. 지금도 섬 안엔 380여종의 화려한 각종 장미가 초여름이면 뭇 관람객들을 유혹한다. 카지노도 운영되고 있고, 옛날 루드빅 2세 왕이 머물던 숙소는 박물관으로 변했다. 루드빅 왕은 재위시절에 이 곳에서 그가 재정적 후원을 해 온 작곡가 리하르트 바그너(Richard Wagner)의 생일잔치를 베풀고 러시아 황제 등 각국의 왕족과 저명인사들을 불러들여서 연회를 베풀곤 했다. 정박장에서 펠다핑의 골프호텔까지 숲과 골프장을 거치는 오솔길도 시시가 거닐던 길이라 해서 '엘리자베트 길'(Elisabethweg)로 명명되어 산책

길로 인기를 끌고 있다. 길가의
벤치에 앉으면 숲과 호수너머
로 티롤 알프스 산들이 눈앞에
펼쳐지고 발아래로 뻗은 골프
장의 푸른 잔디가 한 폭의 그
림처럼 펼쳐진다.

시시는 건강이 극도로 악화
되자 1865년 8월에 프란츠 황
제에게 독립을 선언하고 헝가
리 왕관도 버리고 이 곳을 거
점삼아 스위스와 알제리, 프랑
스, 스페인, 포루투갈, 네덜란

자객이 시시를 칼로 씨르는 장면, 유화

드, 영구 등지로 다시 긴 요양여행을 떠돌던 중 그의 나이 61세가 되던
해에 제네바의 레만 호숫가 길을 걸어가다가 한 자객의 불의의 기습을
받아 목숨을 잃는다. 황후를 칼로 찌른 범인은 프랑스의 무정부주의자
로 당시 "제네바에 머물던 프랑스의 알리 폰 오르레앙 왕자를 죽이려
다 그가 나타나지 않자 눈에 띈 시시를 찔렀다"고 법정에서 진술했다.

시시는 억울한 '대리
죽음'의 비극적 희생
자가 됐다.

영광의 뒤안길에서
질병으로 고통을 받
던 인생을 비명횡사로
마감한 시시 황후는
세기의 미녀였다. 독
일의 빌헤름 2세 황

메란 식물원에 있는 시시 동상

제는 "그동안 만나본 가장 아름다운 여인이라"고 그의 미모를 상찬했다. 신장 172m, 허리둘레 50cm, 체중 50kg을 유지하기 위해 식사 때 채소와 과일만 들기도 하고 매일 승마와 걷기운동을 계속했다. 나이 31세 이후부터는 공식적인 인물사진 촬영도 허용하지 않았다. 큰 아들이 자살한 이후부터는 검은 상복만 입고 다녔다. 그를 주인공으로 한 영화와 오페레타는 56편을 넘는다. 여우 로미 슈나이더와 남우 칼하인츠 뵘이 주연한 3부작 영화 '시시, 젊은 황후'는 뭇 영화 팬들의 사랑을 받아왔다. 특히 독일과 오스트리아인들은 지금도 시시를 구원의 여인상으로 생각한다. 그의 동상만도 포센호펜, 빈, 이탈리아의 메란 등 유럽 각지에 세워졌다.

그가 소녀시절을 보낸 포센호펜의 기차역 건물은 '황후 엘리자베트 박물관'으로 탈바꿈했다.

시시가 어린 시절을 보내고 황후가 된 후 병든 몸으로 자주 찾던 포센호펜과 펠다핑의 호수 변은 봄, 여름, 가을엔 산책과 조깅, 자전거를 타는 사람들로 붐빈다. 슈탄베르그 호수는 둘레가 50km, 폭과 길이가 각각 2km와 25km다.

호수 주변엔 왕과 시인, 소설가와 화가, 배우와 음악가 등 수많은 유명인사들이 자라고 활동했던 마을들이 즐비하다. 특히 호반도시 슈탄베르그(Starnberg)와 투찡(Tutzing), 펠다핑, 포센호펜, 베른리드(Bernried)와 제하우프트(Seehaupt)는 부자들의 천국이다. 투칭은 작곡가 요하네스 브람스(Brahms)가 머물면서 작품 3개를 쓴 휴양지다. 호수 남단의 베른리드엔 유럽 미술사에 뚜렷한 족적을 남긴 표현주의 작품의 '메카'로 불리는 부크하임(Buchheim) 미술관이 있어 미술 애호가들의 발길이 끊이지 않는다. 에른스트 루드빅 키르쉬너즈, 알렉세이 야브린스키(Jawrinski)와 에밀 놀데(Nolde)를 비롯한 미술가들과 바실리 칸딘스키(Kandinsky)를 비롯한 청기사파(Blaue Reiter) 화가들의 작품들이 대량 전시돼 있다.

바로 이웃 동내인 제하우프트는 독일의 향토 여류시인 힐데 도민 (Hilde Domin)이 머물면서 유명한 시 '사과나무와 올리브'를 쓴 고장이다. 또 한편 이 마을은 슈탄베르크 호수에서 잡히는 생선 요리로 유명한 곳이다. 소설 '향수'(香水)와 '좀머 씨의 하루'를 써서 문명을 날린 파트릭 쥐스킨트(Suesskind)도 호수 서쪽에 자리 잡고 있는 베르그 (Berg)에서 태어나 뮌헨에서 활약한 괴팍한 소설가다. 그는 근 30여 년 동안 그의 얼굴을 들어내지 않고 은둔 생활을 하면서도 고향엔 가끔 비밀리에 나타날 정도로 슈탄베르크 호수를 사랑하는 것으로 전해지고 있다. 이 마을은 또한 독일의 향토작가로 이름을 날린 소설가 오스카-마리아 그라프(Oskar Maria Graf)가 태어난 고장이기도 하다. 그는 자전적 소설 '우리는 모두 수인(囚人)이다' 와 '나의 어머니의 생애'에서 1차 세계대전 전후로 한 시대의 아픔과 혼란스런 시대상을 너무나 리얼하게 그리고 있다. 그리고 독일인들에겐 너무도 친숙했던 희극배우 하인츠 뤼만(Heinz Ruemann)과 어린이 만화영화 '꿀벌 마야'

호수변 고향마을에 세워진 소설가 오스카 마리아 그라프의 동상

작곡가 요하네스 브람스의 기념비

카페가 있는 슈탄베르크 호숫가 겨울풍경

(Biene Maja)의 작가 발데마 본젤즈(Bonsels)도 이웃 휴양지인 암바흐(Ambach) 태생으로 누구보다 슈탄베르크 호수를 사랑했다.

특히 리하르트 바그너를 재정적적으로 지원하면서 그의 음악 활동을 뒷받침했던 '동화 성' 노이슈바인스타인 성(Schloss Neuschweinstein)과 린다호프(Lindahof) 성을 축성한 루드빅 2세 왕은 만년에 정신이상자로 몰려 슈탄베르크 호수 서안의 베르그 성에 유폐된 후 1886년 6월 9일에 왕위를 찬탈 당하고 3일 후에 호수에서 의문의 익사체로 발견됐다. 사람들은 호수 속 그 자리에 나무로 된 십자가 표지판을 세워 그의 예술 혼과 업적을 기리고 있다. 시시와 루드빅 2세 왕에 얽힌 낭만과 애수와 연민이 스며있는 슈탄베르크 호수변 주점에서 서편의 하늘을 붉게 물드는 낙조를 바라보면서 맥주잔을 들고 인생의 허무함을 생각해 보는 시간을 갖기엔 슈탄베르크 호수만한 적격지도 없을 성싶다.

35일 간을 대서양에서

글 **손 선 혜**
(여행가, 저널리스트)

　여행을 떠난다는 것은 언제나 가슴 설레는 일이다. 더군다나 이번에
는 35일간을 배로 홀란드, 프랑스를 거쳐 대서양을 가로질러 캐나다의
동쪽 끝 이름도 그럴싸한 뉴파운드랜드(새로 발견한 땅)와 노바 스코시아
(새스코트랜드)에 가는 것이기에 더 설레나보다. 4년 전에 갔었던 국토의
대부분이 만년 빙하로 덮여있는 그린란드의 서쪽에 있는 북극에 가까
운 곳이다.

영국을 떠나 지구의 반 바퀴를 돌아오는 동안 그린위치 천문대를 기점으로 하는 현지 시간을 14번이나 바꾸었다. 마코폴로라고 불리는 이 큰 배에는 엔진실을 제외하고 11층이 있고 운동기구로 가득 찬 짐, 수영장, 쇼를 하는 크고 작은 홀들, 여러 개의 식당들, 바, 도서관 등이 있고, 객실은 7층에 걸쳐 있는데 승객은 700여명, 배에서 일하는 총 인원은 350여명으로 40여개의 다른 국적을 갖은 사람들이다. 700여명의 승객을 위한 메뉴 플랜을 짜서 음식을 준비하고 서브하고 객실을 깨끗이 유지하는 일 이외에도 24시간 강한 햇볕 이외에도 비바람에 끊임없이 손상되고 있는 배는 유지와 보호를 위해 또 끊임없는 손질을 하여야하니 얼마나 많은 인력이 필요 하겠는가.

대서양을 건너는 데는 꼭 5일이 걸렸다. 하루 세끼의 풍성하고도 고급스러운 식사, 매일 오후 3시에는 다양한 종류의 샌드위치, 각종 케이크와 티와 커피가 있는 영국식 하이 티, 하루 18시간 제공되는 12가지 각종 티와 커피, 초콜릿드링크, 밤 11시에 제공되는 소위 핑거푸드라는 손가락으로 집어먹을 수 있는 야식이 있다. 각종 초콜릿으로 만든 세계 여러 나라의 각종 케이크, 과자를 선보이는 페스티벌을 여는 행사 이외에도 대여섯 군데에 있는 크고 작은 바와 라운지에는 각종 술과 음료가 하루에 20시간 동안 제공된다. 이렇게 온종일 먹고 마시는 영국 사람들에게 과체중이 가져다주는 건강문제가 심각한 것은 너무도 당연하다. 놀라운 사실은 35일 동안 배에서 소모된 계란은 4만 3천개, 감자는 5,800kg, 우유 6,500리터, 고기 6,500kg을 소모했다는 사실이다. 참고로 단 한 번의 후식 페스티벌에서 초콜릿은 100kg, 계란은 1,200개, 아이스크림 20리터씩을 소모한다.

크루징을 하는 배회사가 제공하는 여러 가지 오락 프로그램은 많은 사람들의 긴 여정을 지루하지 않게 한다. 배에서 할 수 있는 여러 가지 게임들 이외에도 도서관과 합창교실, 춤 교실, 간단한 악기 가르치는 교실, 뜨개질 교실, 브리지를 가르치는 카드게임 교실 등 프로그램을 제공한다. 또한 그림 그리기, 자그마한 공작품도 만들기도 있어 여행의 마지막에는 만든 작품들을 모아 전시회도 연다. 매일 운동을 할 수 있는 시설이 14시간 동안 제공된다. 생음악이 연주되는 크고 작은 홀에서는 쌍쌍이 춤을 추는 이들이 있고 매일 밤 저녁식사 후에는 화려한 쇼 무대가 열린다. 이처럼 즐거운 오락시간 후에도 크고 작은 홀에서 계속 카바레가 새벽 2, 3시까지 계속된다.

독신 여행자들을 위한 모임은 따로 마련한 식탁에 앉게 하여 친목을 도모한다. 그 중에는 노년을 기약하는 로맨스를 맺는 이들도 더러 있다. 그런 소문은 다른 사람들의 저녁 식탁에 오르는 가십거리로 다른 사람들의 테이블에 즐거운 대화의 재료를 제공한다. 저녁은 식탁의 크기에 따라 2명, 4명, 8명씩 함께 앉아 매일 같은 멤버가 식사한다. 배를 타는 첫날 저녁에 처음 만나는 사람들이 여행이 끝날 때까지 저녁식탁의 동료가 되는 것이다. 이렇게 해서 식탁의 동료와 많이 가까워지고 더러는 그 우정이 오래 가서 영국에서도 다시 만나고 다른 나라에 사는 친구들과는 서로 방문하기도 한다.

암스테르담과 불란서의 쉘부르그를 거쳐 처음 도착한 곳은 캐나다 동쪽 끝 Newfoundland의 수도 St. John's다. 5일 동안 물위에 떠 있다가 땅을 밟고 상쾌한 캐나다의 공기를 마시며 걷는 것이 너무도 좋았다. 아무리 작은 마을이라도 교회는 크고, 건축은 아름답다는 생각을 한다. 그리고 교회나 박물관에는 방명록이 비치되어 있다. 방문지가 오지일수록 잊지 않고 대한민국의 딸이 왔었다는 것과 좋았던 인상에 대해서 기록을 남겨 놓는다.

Motherhouse라는 수도원에 있는 The Veiled Virgin이라는 제목의 조각품은 내가 본 어느 조각품보다도 아름다웠다. 이 작품을 조각한 사람인 죠반니 스트라자는 이태리 조각가로 카라라에서 나오는 흰 대리석으로 베일을 쓰고 있는 마리아를 조각했는데 베일을 쓴 모습이 어찌 그리 아름다운지 모르겠다. 바람이 살랑 부는 듯한 베일에 속눈썹이 그림자처럼 보이도록 한 조각은 경이롭고 감동스러웠다.

이곳은 또한 발명가 마코니가 1901년 처음 대서양을 건너지르는 무선 시그널을 받은 곳으로 역사적인 곳이다.

다음 도착한 항구는 새 스코트랜드라는 뜻의 라틴말인 Nova Scotia(노바스코시아)주의 수도 Halifax다. 노바스코시아 주에서 제일 큰 성당이 있는 곳으로 이 성당은 200년의 역사를 갖고 있으며 또한 제일 높은 대리석 첨탑이 있고, 그 안에는 11개의 종이 있으며 제일 큰 종의 무게는 1,200파운드나 된다. Stained glass의 유리창의 규모 또한 대단히 크며 지금도 성당 안의 공기 순환을 위해 stained glass로 된 유리창을 여닫는데 사용한다.

Halifax 시내의 제일 높은 언덕위에는 성벽만 남은 큰 성이 잘 보존되어 있고, 성벽 위에 놓여있는 대포는 한 시간에 한 번씩 포를 쏘아 시민들에게 정확한 시간을 알린다. 도시의 중앙에는 아름답게 가꾸어 놓은 17에이커의 큰 정원 있어 많은 사람들의 휴식처가 되고 있다. 도시의 한가운데에는 현대적인 건축물의 5층짜리 도서관이 있다. 각 층의 모양이 대형 책 모양이며 천정이 높은 것이 특색이다. 건물의 전체 모양은 책들이 여러 개 겹쳐져있는 듯한 모양으로 디자인이 희한한 현대적인 건물이다. 이곳에서 700마일 떨어진 곳에서 타이태닉 배가 침몰했는데 그 때에 생명을 잃은 121명의 묘지가 가까운 곳에 있다.

다음은 프린스에드워드 섬의 수도 샬롯타운에 도착, 이곳은 도시는 작지만 화강암으로 지어진 영어로 예배를 보는 아주 큰 교회가 있다. 주된 언어가 불어인 곳에서 영어로 예배를 본다는 것이 반가웠으나 역사를 들춰 볼 여유가 없었다. 프린스에드워드 섬과 본토를 연결하는 13킬로미터 길이의 얼음이 어는 물을 건너지르는 다리로 제일 긴

Confederation Bridge가 있다. 이 다리는 얼음이 어는 물을 건너는 다리라 하지만 우리나라의 인천에 있는 다리 길이가 18.5km라는 것이 알려지면 그것 또한 우리의 큰 자랑거리일 것이다.

　다음 기항지는 동쪽 케벡주의 가스페, 캐나다의 동쪽은 1,500년대에 프랑스의 탐험가, 자끄 까띠에가 발을 디딘 후 프랑스 땅이라고 주장하며 이루어 놓은 업적의 흔적이 많다. 지금도 사용하는 언어는 불어이다. 그러나 1759년 영국의 젊은 장군 James Wolfe는 프랑스와의 7년 전쟁에서 승리하여 케벡을 점령하고 몬트리올을 프랑스 손아귀에서 해방시켜 젊은 나이에 캐나다 전체를 점령한 영국장군이 되었다.

　가스페만 깊은 곳에는 4억 년 전에 생겼다고 생각되는 거대한 바위가 대서양 물속에 홀로 우뚝 서있고, 자연적으로 생긴 제일 큰 아취가 있다. 자그마치 440미터의 길이에 90미터의 넓이에 제일 높은 곳은 90미터이다. 아취의 높이는 15미터이고 바위의 무게를 5백만 톤이라고 추측한다. 시내에서 바위를 가까이 볼 수 있는 해변까지 관광버스를 탔는데 노란색의 미국 학교버스다. 영국의 2층버스를 분홍색으로 칠하여 관광버스로 사용하는가 하면 이렇게 노란색의 학교버스를 관광버스로 사용하는 것이 재미있다.

　케벡주의 케벡시. 건물이나 도시가 예쁜 케이크를 보는 듯 아름답다. 상점의 상품의 전시도 세련되었고, 식당의 실내장식, 색감이 모두 예술적이고 멋있다. 거리의 어디에나 무료 공공화장실이 많고 깨끗하게 유

지되고 있는 것이 인상적이다. 이 점은 그동안 여행을 다녔던 중 어느 나라보다도 훌륭하다.

케벡시에서 7마일 떨어진 멀지 않은 곳에 몽모랑시 폭포가 있다. 폭포는 85m의 높이에 50m의 넓이의 계곡을 떨어지며 물안개를 뿜는다. 몽모랑시 강의 물이 성 로렌스 강으로 떨어지는 곳에 폭포가 있고, 그 폭포 위로 폭포를 건너갈 수 있는 다리가 놓여있다. 보기에 드문 절경이다. 실제로 물이 떨어지는 폭포 자체를 보려면 그 다리를 건너 절벽을 따라 그 위로 걸어야한다. 폭포가 시야에 들어오는 위치에는 절벽 아래로 내려가는 가파른 나무 층계가 급경사로 내려간다. 족히 300여 개의 층계다. 이것도 자연을 그르치지 않고 만들어 놓은 절경이다.

케벡시는 성로렌스 강을 따라 지대가 갑자기 높아진 땅에 세워진 도시다. 어느 방향에서나 보이는 샤또 포트낙이란 아름다운 성이 있고, 그 샤또에 가려면 성벽 아래에서 후니쿨라 타고 올라간다. 먼 곳에서나 가까운 곳에서나 잘 보이는 높은 데에 있는 건물, 샤또 폰트낙안에는 최고급 호텔과 고급상점들과 식당들이 있다. 성 안에는 강을 내려다 볼 수 있는 작지만 멋진 발코니가 있고, 많은 사람들이 한 번 쯤은 들어 가 앉아 보고 싶은 곳이라 부킹을 미리 해야 한다. 장시간의 관광 후 피곤한 다리를 쉬게 하는 데는 한 눈에 내려다보이는 강을 보며 멋진 발코니에서 한잔 마시는 것이 최상일 것이다. 마침 저녁노을은 구름과 함께 아름다운 그림을 그리고 이렇게 하루를 멋있게 마감하며 배로 걸어가는 발걸음이 가벼워졌다.

다음 기항지는 몬트리올. 케벡주의 제일 큰 도시로 유일하게 내륙에 있는 항구이다. 대서양에서 1,600km나 떨어져 있다. 어느 도시를 가나 교회와 박물관이 많기도 하지만 잘 정돈되어 있는 것이 또한 캐나다의 좋은 인상 중의 하나다. 무엇보다도 자동차 운전자들의 매너가 좋은 점이 인상적이다. 교통규칙을 잘 지킬 뿐만 아니라 주행에 서두름이 없는데다 양보심과 보행자들을 배려하는 여유가 보기에 좋다.

몬트리올에는 캐나다의 원주민인 이누이트의 예술작품들이 많이 전시되어있다. 그러나 몬트리올에서 가장 인상적이었던 것은 북미대륙에서 두 번째로 큰 노트르담 바실리카가 있고, 그 규모와 웅장함과 아름다움이다. 파바로티가 와서 크리스마스 콘서트를 한 곳으로도 유명. 가이드의 자세한 설명을 들은 것도 좋았지만, 운 좋게도 몇몇의 개인을 위한 오르간 연주를 들을 수 있었던 것이다. 광대한 크기의 오르간은 7,000개의 파이프로 되어있고, 소리가 웅장함에 가슴이 열리는 듯 시원함에 놀랐다. 이 성당에서 지난 42년 동안 주된 오르간 연주자로 일해온 나이 지긋한 Pierre Grandmaison의 연주가 너무도 훌륭해서 집에 와서 인터넷으로 어떤 분인가 찾아보니 올간 연주자로 많이 알려진 유명한 분임을 알게 되었다. 가끔 그런 행운이 있는 것이 여행 중에 생기는 의외의 즐거움이다. 올림픽공원에 있는 타워, 큐가든과 같은 잘 가꾸어진 식물원이 또한 인상적이었다.

시내에서 멀지 않은 산 로얄에는 지금까지 내가 본 교회 중 가장 큰 성 조제프 오라토리가 있다. 관광객이 한명도 없었다. 교회 안에는 2개의 에스컬레이터가 이어서 설치되어 있어 걸어 올라가기에는 너무 힘든 곳이나 쉽게 올라갔다. 높은 곳에 다 올라가서야 예배를 보는 교회당이 있고 화려한 장식이나 금을 입힌 조각은 전혀 없다. 12제자가 대형의 나무에 조각되어 벽에 걸려 있으며 십자가를 지고 형장으로 올라가는 예수의 모습은 여러 개의 화강암에 조각되어 낮은 위치에 놓여 있다. 맨 위에 있는 구리로 된 둥근 지붕은 이태리 성 피터의 것 보다 더 큰 것으로 높이가 45m다.

몬트리올에서 성 로렌스 강을 따라 북상하여 새그네이에 기항, 빙하시대부터 빙하가 만들어 낸 아름다운 경치는 오래 동안 머리에 남아 있을 사진과 같다. 강을 따라 절벽이 1,500피트나 높은 곳이 있고 새그네이와 로렌스 강이 만나는 곳에 있는 고래구경을 할 수 있는 최적지를 지나가면서 수십 마리의 돌고래가 신나게 노는 모습 또한 오래 동안 기억에 남을 것이다.

셉틸, 아브르 쌩 피에, 카포 뮐, 섬마다 들린 마을들, 아! 이 북극에 가까운 극도로 춥고 바람이 세찬 이곳은 걸음을 옮기는 것조차 힘들건만 어떻게 이런 곳에 정착할 뜻이 있었을까, 의문을 갖게 된다. 아는 게 그뿐이라면 다른 곳이 좋을 수도 있다는 것은 생각할 수가 없겠지. 이런 땅을 두고 프랑스와 영국은 생명을 내 걸고 전쟁을 했던 것을 보면 이해가 힘들기도 하나 생계를 유지해야 하는데 필요한 생선이 많이 나서 그랬는가하는 생각을 하면 그것도 이해 못할 것은 아니다. 지금은 세상에서 필요하고 중요한 오일이 나오는 곳에 전쟁이 쉬지 않고 계속 일어나지 않는가?

노바 스코시아(Nova Scotia)는 새 스코틀랜드라는 뜻의 라틴어다. 캐나다 전체 인구의 15%가 넘는 사람들이 스코틀랜드에서 온 사람들의 후손이라고 한다. 지명도 스코틀랜드에서 따온 것이 많다. 철강 산업과 석탄을 캐는 광산업도 스코틀랜드에서 가져온 산업이라고 한다.

노바 스코시아주에 있는 시드니에는 큰 배가 들어가기에는 항구가 너무 작고 물의 깊이가 얕아서 항구로부터 거리가 먼 바다 가운데에 닻을 내리고 항구까지 조그만 배로 입항했다. 항구에는 사람의 키에 10배가 넘는 키의 대형 바이올린이 서 있는데 이것은 스코틀랜드의 민속음악을 이어가자는 상징으로 세운 것이라고 한다.

거리거리마다 작지만 각종 박물관이 많고, 이곳의 주민이었던 전화의 발명가 알렉산더 그레함벨의 박물관에 진열되어있는 그의 유품들 중에는 처음 만들어진 전화기도 소장되어있다.

코너브룩은 뉴파운드랜드 섬의 서쪽에 있다. 2만 명이 채 안 되는 주민이 살고 있는 조그만 마을이다. 사계절이 뚜렷하고 따뜻한 여름에는 클래식 음악 페스티벌을 여
는데 캐나다 전국에서 많은
사람들이 모인다고 한다. 영
국, 아일랜드, 프랑스에서 온
후손들과 원주민이 생선산
업과 종이산업을 크게 일으
켜서 적은 숫자의 주민들이
커다란 부를 이루었다고 한
다. 이곳은 250년 전에 선장
쿠크가 뉴질랜드, 호주, 하와
이로 가기 전에 장기간 항해
술을 익힌 곳으로 알려저 있
다고 한다.

　뉴파운드랜드주에 있는 성 안토니 마을의 주위에는 7천 여 개의 자
그만 섬들이 있다. 캐나다의 제일 동쪽에 위치한 성 안토니에는 주민이
2,400명밖에 안 된다. 이곳은 아름다운 바다 경치와 바다를 중심으로
한 삶 그리고 빙산이 있다는 것으로 알려져 있고, 7월에 불 수 있는 각
종의 고래와 돌고래를 보기 위해 캐나다 전국에서 찾아온다고 한다.

　배를 타고 35일간 영국을 떠나 대서양을 건너 캐나다 동쪽까지의
장거리를 20마일의 속도로 천천히 물을 가르며 갔다 온다는 것은 그
리 즐겁기만 한 것은 아닐 것이다. 아무리 집안 살림, 청소, 빨래, 다리
미질은 물론 식사준비도 그 뒤처리도 전혀 하지 않고 편하게 지내며 매
일 밤 예쁜 파티 옷을 입고 근사한 레스토랑에 가서 식사하고 멋진 쇼
를 본다고 하지만, 가끔은 멀미도 하고 비바람이 심해 배 안에 갇혀 있
는 기분도 든다.

　그러나 그 긴 시간동안 여러 종류의 흥미로운 사람들을 만나는 즐

거움은 무엇으로도 대신할 수 없는 여행의 묘미가 아닌가 한다. 문화의 향기가 묻어나는 우아한 사람들, 여행을 많이 해서 생긴 지혜와 총명함이 보이는 사람들, 얘기가 재미있는 사람들, 여러 사람들의 살아 온 얘기들을 듣노라면 시간 가는 줄도 모르고, 듣고 나서 흐뭇한 마음으로 캐빈으로 향하는 밤이 허다하다.

이 배의 연예프로그램의 총 책임자인 리챠드는 항상 명랑한 만능 재주꾼이다. 길고 아름다운 시를 모두 기억해서 멋지게 낭송하는가 하면 신나게 춤도 추고 노래는 3, 4절까지 가사를 기억하는 노래 솜씨, 즉흥적으로 내뱉는 재치 있는 농담이 곁들인 코미디를 할 때는 감탄하지 않을 수 없다. 오늘은 우리에게 이번 여행의 마지막 쇼를 보여주는 밤이다.

리챠드가 꾸민 마지막 밤의 프로그램은 냇킹콜의 생애와 노래로 엮은 쇼로 꾸며졌다. 서너 개의 노래를 한 후 65주년 결혼기념으로 이 배를 탄 부부를 소개하며 90세의 흰머리 신사와 금발의 우아한 여인을 소개하니 우뢰와 같은 박수가 길다. 리챠드가 그들에게 바치는 냇킹콜의 'Unforgettable'이라는 노래에 자세가 곧은 노부부는 무대로 올라와 우아하게 춤을 추는 모습이 아름답고 감동적이었다. 노래의 가사도 너무도 잘 어울린다.

'멀리 있으나 가까이 있으나 잊을 수 없는 그대, 사랑의 노래처럼 당신 생각은 내게 항상 머물러 있고… 여러 가지로 잊을 수 없는 그대, 당신은 그렇게 내게 영원히 남아 있을 것이오. 우리는 여러 가지로 잊을 수 없는 사랑 우리는 그렇게 서로 영원히 잊을 수 없는 사이……'

이들 두 부부는 젊은 시절부터 좋아하는 등산을 함께하고 또, 좋아하는 여행을 함께 했다고 하며, 지금은 바닷가에 있는 아파트의 제일 꼭대기 층, 펜트하우스에서 살고 있다고 한다. 초대를 받았으니 날이 따듯해진 날 찾아뵈어야겠다. 65년 동안 어찌 두 사람의 사이에 어

려운 일이 없었으랴. 문제는 대화로! 그러고 나서 안아 주면 된다는 노신사의 표정이 아주 귀엽다. 사는 집에서 바닷가로 가는 산책길에는 자그마한 정원이 있는데, 그곳이 바로 65년 전에 이 신사가 부인에게 결혼프로포즈를 한 곳으로 그곳을 지날 때마다 부인을 안아주며 키스를 한다고 한다. 한번은 그 광경을 보던 한 여자가 자기네를 보고 신기하다는 듯 눈을 크게 뜨길래 그 사연을 애기해 주었더니 감동의 눈물을 흘리더라고 말하는, 로맨틱한 노신사!

이렇게 따뜻한 마음으로 마지막 밤을 지내고, 그간 배에서 힘들었던 일들은 어느새 다 잊고는 다음에는 어디로 발길을 향할까, 세계지도를 편다.

구름과자

글 **유 성 봉**
(시인)

　그것은 지금까지 경험해 보지 못했던 참으로 견디기 어려웠던 아픔
이요! 고통이요! 소용돌이 속의 휘둘림 같은 아비규환의 상태였던 것
같다. 머리가 아픈가 하면 땅이 꺼지고 하늘이 무너지는 것 같은 어지
러움! 폭풍우 속의 뱃멀미처럼 절망의 나락으로 떨어지는 공포와 전
율! 그것 같았으니까…! 울음으로 구원을 요청하는 신호를 보냈고, 어
른들의 황당해 하는 모습에서 더 겁이 났는지도 모르겠다.

　초등학교를 입학하기 전의 일 이니까 6~7세쯤 되었으리라!

　아버지 친구들이 모여 앉자 담배에 관하여 이야기하는 것을 엿들었
다. '미도리'(해방 전의 권련의 1종으로 10개 들이로 당시로서는 최고급품으로 기
억됨)가 제일 맛이 좋다고 입맛을 다셔 가면서 이구동성으로 칭찬의 말
들을 하는 것이었다.

　과자나 사탕처럼 달콤하고 떡이나 과일처럼 입을 즐겁게 해주는 식
품 맛쯤으로 생각하고 책갈피 속에 넣어 두었던 세뱃돈으로 담배 가게
에서 '미도리' 1갑을 사서 누가 볼세라 건넛방으로 들어가 문을 잠그
고 부푼 기대 속에 성냥을 그어 담배를 태워 보기로 했다.

　한 개피를 빼내 불을 붙여 빨고 내뿜기를 되풀이 했다. 달콤하기는

커녕 혀가 따갑고 눈물이 나고 머리가 아프면서 푸른색 담배 연기가 방을 채우기 시작했다. 어른들의 말씀이 거짓이 아니라면 더 태우면 진짜 달콤한 맛이 나오겠지 하는 기대를 떨쳐버리지 못하고 다섯 개피쯤 태웠을 때는 더 이상 버틸 수 없는 한계에 다 달아 울음으로 구원을 요청했고, 어머니에 의해 찬물에 세수를 해야 했고 꿀물 한잔을 얻어 마시고 잠이 들었다 깨어나니 봄볕이 따스한 오후 한 나절이었다.

하늘도 푸르고 산천도 푸르고 햇볕도 다정했으며 태풍 일고난 후의 바다처럼 주위는 조용했다. 쪼개질 것 같던 두통도 언제 있었느냐는 듯 머리도 가뿐했다. 말로만 들었던 천당과 지옥이 그 곳에 있었던 것 같았다.

그 사건 이후 담배란 담자도 듣기 싫었고 담배 가게 앞을 지날 때도 고개를 돌렸으며 거리에서 담배 연기만 스쳐도 머리가 아픈 혐연증 환자가 되었다. 구름 과자란 달콤한 유혹도 손사래가 쳐졌는데 어쩌면 담배란 두통을 동반하는 마물이란 등식이 뇌리에 각인되어 있는지도 모르겠다.

성년이 되었을 때는 담배에 대한 사회적 인식은 대인 관계에 있어서 경쟁이라도 하듯 서로에게 담배를 권하는 것이 사교의 첫 단계인양 부담 없이 주고 받는 분위기였고 담배 인심은 경제 수준에 비해 세계적이라는 유행어가 회자되기도 했었다. '도너츠'같은 연기과자를 만들어 허공에 띄우는 멋을 부리는 이들도 있었으며 머리를 깨끗하게 해준다는 각성제 역할도 한다는 예찬론도 만만치 않았다. 어르신들에 대한 선물로도 각광을 받기도 했으며 청자 담배는 명절 때 귀성객들의 필수 선물이기도 했었다. 군 시절의 화랑담배는 인심 쓰는 데는 좋았으나 지금 생각해 보면 독성 물질을 떠넘긴 것 같아 씁쓸하기도 하다.

담배에는 약 4,000여종의 독성 화학 물질이 함유된 것으로 추정된다고 하며 이중 발암 물질은 50여종에 달하며 이로 인하여 매년 전 세계적으로 백만 명 이상이 사망 한다고 하는데 이는 비행기 사고로 죽을 확률은 50만 명 중의 1명이지만 흡연으로 인한 사망 확률은 4명 중 1명에 해당된다고 한다.

늦게나마 심각성을 깨달은 사회적 분위기는 거국적 차원에서 금연을 독려하고 있지만 그 성공률은 2~3%에 불과 하다는 통계만 보아도 한번 접하면 떨쳐버리기 쉽지 않은 마약임에 고민은 깊어지는 것 같다.

이와 같은 어려움을 덜어주기 위하여 금연 보조제로서 마스크, 전자담배, 금연사탕, 금연과자, 금연 패치, 금연 껌 등 종류도 다양하나 아직까지 어느 것도 완벽한 금연의 효과를 보장해 주지는 못 하는 것 같다.

금연의 효과는 관상동맥 질환, 뇌혈관 질환, 호흡기 질환 등이 호전된다고 하며 돈도 절약되고 깨끗한 품위유지와 자녀에게 모범이 되며 육체적 활동성이 향상되어 건강한 체력을 유지하게 된다고 한다.

나의 경험에 의한 '굿 바이 스모크' 계획 달성을 위한 한 가지 방안을 제안한다면 '백신'이 면역성을 키워 병을 이길 수 있게 하듯 담배도 '니코틴' 백신을 개발하여 유아기에 접종함으로서 평생 금연으로 좋은 남편과 좋은 아내, 좋은 아빠와 좋은 엄마가 되어 행복하고 깨끗한 가정을 이룩했으면 좋겠다는 생각을 해본다.

여 행
-사고 친 날

글 **유 성 봉**
(시인)

5월이 가정의 달이라면 10월은 문화의 달이다. 갖가지 문화 행사 중에는 여행도 포함된다고 생각한다. 여행이란 일이나 탐방, 유람, 식도락 등을 목적으로 다른 고장이나 타국 등에 나가는 것을 말한다. 지구가 좁아지고 오가는 거리가 줄어들고 마음의 여유가 생기고 경제적 무게가 가벼워지는 등 나들이 조건은 나날이 좋아지고 있는 것 같다.

트래킹여행, 자전거여행, 자동차여행, 기차여행, 배낭여행, 항공여행 크루즈여행 등 그 종류도 다양하다. 그 밖에 묻지 마 여행이라는 것도 있었는데 지금도 있는지 잘 모르겠다. 기간도 자유자재로 재단할 수 있고 지역도 세계 일주를 비롯해서 지구 촌 구석구석 이를 잡듯 훑고 더듬고 살펴서 서캐 하나라도 찾으려고 발이 부르트도록 누빈다. 숨어 있는 것을 찾는 것 그것이 곧 여행의 효과다. 여행은 고생이고 고생은 아이러니하게도 즐거움이다.

오래전 지인들과 동남아 여행 때의 일이다. 캄보디아의 유서 깊은 앙코르 와트 사원을 찾았을 때다. 호텔을 출발하기 전부터 뱃속의 이상 징후가 포착되어 화장실은 물론 설사약 복용 등 나름대로 대비를 하였다.

목적지에 도착하니 내려 미는 강도가 더욱 심상치 않다. 주위를 두리번거리며 화장실을 찾았으나 경내에는 없단다. 하늘이 노랗다. 어떻게 해야 하나? 그냥 나무 밑에 앉아 눈을 가리고 실례를 하면 안 될까? 극한 상황에서는 부끄러움이나 염치 따위는 사치인지도 모르겠다. 이성이 마비되는 것도 같다. 그러나 호랑이한테 물려가도 정신을 차리라고 하지 않았던가?

일행은 가이드의 설명을 따라 자꾸 석축물 안으로 들어간다. 7~8m 떨어져 뒤따르며 미로 같은 길을 살핀다. 해우할 수 있는 공간이 없을까하고……. 메가톤급으로 누르는 생리의 무게는 감당할 수가 없다. 좁히고 당겨도 밀고 내려온다. 선채로 혁대를 늦추고 물티슈로 황급히 받치고 받아본다. 냄새도 지저분함도 느낄 겨를이 없다. 다행히 일행과는 일정거리가 유지되었고 뒤따르는 관광객도 없다. 그렇게 처리하기를 다섯 번! 처리물의 처리가 또 문제다. 그러나 그것으로 끝이 아니다. 반복적인 공세는 계속된다. 휴대용 티슈는 물론 온몸의 종이류는 모두 소진되었고 손수건까지 동원되지 않으면 안 되었다. 걸레의 고마움이 새삼 느껴졌다. 사람들의 눈이 잘 머물지 않을 것 같은 호젓한 곳에 모시듯 숨겼다. 수표가 화장실 뒤처리 물로 발견되었다는 뉴스가 생각났다.

어제 저녁 식사로 삼겹살 상추쌈을 먹은 것이 탈인 것 같다. 가이드의 스케줄에 따라 정해진 코스라 따를 수밖에 없었다. 나는 담석증 수술을 받은 쓸개 빠진 놈이다. 지방대사가 어렵다는 의사의 충고도 생각났다. 간에서 약간 도와주기 때문에 크게 걱정은 안 해도 된다고도 했다. 주의는 했으나 정량 초과인지 모르겠다. 그것이 오늘의 결과로 나타난 것 같다.

약간 가벼운 마음으로 일행과 합류하기 위하여 걸음을 재촉하니 초라한 생불이 좌선한 채 보시를 기다린다. 파란 지폐 한 장을 두고 합장

한다. 청소비입니다. 마음속으로 미안함을 전한다. 오히려 그쪽에서 백배 감사를 되돌려 준다. 일행과 합류한다. 앞서 나가기도 한다. 아무 일도 없었다는 듯…

그러나 이 번의 앙코르 와트 사원의 불가사의 한 문화재 관광은 오물관광으로 끝났다. 공공장소의 화장실은 필수 중의 필수다. 우선순위 1위인 시설물의 누락은 방문객을 위한 예의도 아닐뿐더러 청결관리에도 흠결을 남길 뿐이다. 화장실 기증 운동이라도 펼친다면 동참하고 싶어서 관련국 대사관에 전화도 해보았으나 신성한 장소이므로 가까이 두기에는 어려움이 따를 것이라는 모호한 반응이다.

훗날 그 이야기를 술안주로 올려놓았으나 일행 누구도 낌새도 느끼지 못하였다는 대답에 홀로 쓴 웃음을 지었지만 오래 잊혀지지 않을 여행의 추억으로 남을 것이다. 한 번 더 찾아가 그때 간과했던 부분들을 되찾고 싶다. 그것이 여행이니까…….

일본 북해도 도동지역 여행기

글,사진 **유 진 순**
(시인)

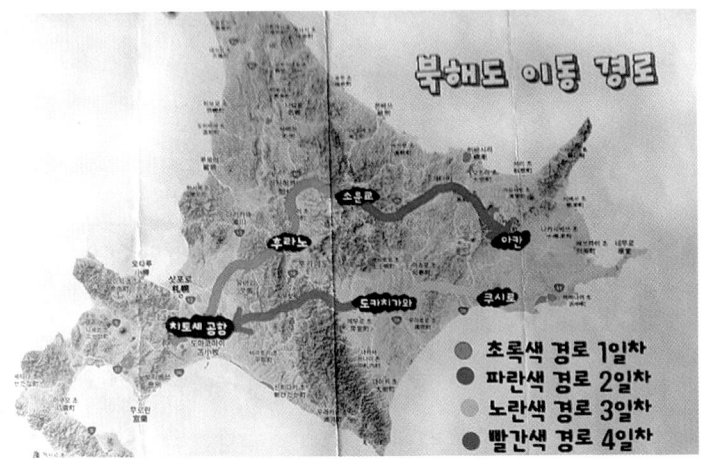

아직은 젊고 싶은 친구들과 일본 북해도 도동지역으로 향해 비행기에 올랐다. 도동지역은 관광지역으로 알려진지가 얼마 되지 않아서 우리나라에서는 그리 많이 가지 않는 곳이다.

치토세 공항에 도착하니 비가 많이 내리고 있었다. 비로 인해 여정이 처음 기행지(紀行地-보고, 듣고, 느끼기 위해 여행하는 장소)부터 어긋나기 시작했다.

전용버스로 후라노까지 2시간여 이동하는 동안에 비가 그쳤으면 했는데 우리의 기대와는 달리 비는 바람과 함께 더욱 세차게 내리고 있어

치즈공방에 가기로 한 것을 접을 수밖에 없었다,

여행을 떠나기 전에 후라노 지역의 치즈 공방에 대해 익힌 것을 여기에 소개 하고자 한다.

치즈공방은 후라노의 목장에서 자란 젖소의 신선한 우유로 만든 유제품을 맛보고 구입하고 체험할 수 있는 공방으로 한적한 숲 안으로 들어가면 치즈공방, 아이스크림 공방, 피자 공방으로 나뉜 건물이 나타난다고 한다.

치즈공방에서는 치즈를 만드는 공정을 유리 너머로 볼 수 있고 외인을 첨가한 체다 치즈, 오징어 먹물을 넣어 숙성시킨 세비야 치즈, 구운 양파를 함유한 고다 치즈 등 다양한 치즈를 만들어 낸다고 하며, 피자 공방에서는 나폴리피자를 맛 볼 수 있고, 아이스크림 공방에서는 산뜻한 우유 젤라또 등을 맛볼 수 있다고 하는데 그 기회를 갖지 못해 못내 아쉬웠다.

비가 오는 중에도 후라노의 팜도미타에 도착했다.

팜도미타는 관광농원이다. 후라노 하면 라벤더라는 공식을 만들어 낸 일등공신, 1976년 JR 홋카이도 열차 달력에 팜도미타의 사진이 실리면서 전국적으로 유명세를 얻게 되고, 점차 관광객 수가 늘어 침체

일로에 있는 후라노 지역의 라벤더 농가가 되살아나는 계기가 되었다고 한다.

관광농원 팜도미타에는 라벤더를 비롯해서 붉은 아이슬란드 양귀비, 차이브, 해당화, 클로오메 등 다양한 꽃밭을 보여 주고 있다.

라벤더 등 몇 가지 꽃들은 만개하지 않은 것도 있었는데, 주를 이루는 라벤더의 보라색 물결은 7월 중순부터 하순까지 장관을 이룬다고 한다.

관광농원 팜도미타의 역사자료관, 향기체험코너, 드라이 플라워하우스, 카페 등 전시관들이 갖추어져 있었는데, 비가 너무 많이 와서 선채로 라벤더 소프트 아이스크림을 나누어 먹고, 드라이플라워 하우스로 가서 라벤더 씨앗만 사가지고 나왔다. 다양한 소장가치가 있는 라벤더를 이용한 갖가지 상품과 라벤더를 활용한 먹거리 등 후라노를 찾는 즐거움을 포기한 채 아쉬움 속에 발길을 돌렸다.

2시간여 후 소운쿄에 도착 하루를 마감 하다.

조식(朝食)후 비에이로 이동하여 완만하게 오르내리는 언덕과 저 멀리 보이는 드넓게 펼쳐진 논과 밭, 그림 같은 나무들이 그려내는 비에이의 순수한 자연을 만날 수 있었다.

정사각형으로 혹은 직사가형, 삼각형, 등의 모양인 꽃밭에 무지개 색

비에이 전경

보다 더 고운 형형색색의 꽃으로 꾸며진 환상적인 풍광은 관광객을 유혹 즐겁게 해준다.

비에이는 언덕마을로 불리고 있다. 광활하게 펼쳐진 언덕은 워낙 면적이 넓어 차로 이동하며 보는 것이 가장 좋다. 4륜 산악 오토바이, 꼬마기차를 이용하여 구경할 수 있게 해놓았다.

비에이 언덕은 파노라마 로드와 패치워크의 길 등으로 구역이 나뉘어져 있다. 패치워크에 자리한 7ha 부지의 꽃밭엔 라벤더, 튤립, 해바라기, 코스모스(모양이 좀 특이하게 생김), 아일랜드 양귀비, 셀비어, 매 발톱꽃 등 30여 종의 꽃들이 색색의 양탄자처럼 언덕을 뒤 덮어 장관을 연출해 보이며 여행자들의 마음을 훔치고 있다.

비에이 언덕이 파노라마처럼 펼쳐지고 멀리 언덕 넘어 보이는 청록의 전원이 형형색색을 이루는 비에이 언덕과 조화를 이루어 보는 이의 심금을 울린다.

푸른 연못이라는 아오이케로 이동하는 차창 밖으로 보이는 밭과 밭이 만나는 사이에 홀로 풍성한 나뭇잎을 나부끼며 서 있는 한그루의 떡갈나무는 하얀 감자 꽃이 펼쳐진 여름, 아름답게 다가온다.

멀리 보이는 푸른 언덕에 자리한 한그루의 나무, 옛날 영화 모정에서 주연배우 제니퍼 존스와 윌리엄 홀든 이 사랑을 속삭이던 영화 속의 그 언덕의 한 그루 나무를 연상케 하다.

전원 풍광은 아주 잘 정돈 되어 한 폭의 그림으로 표현해도 지나치지 않을 것이다.

푸른 연못은 도케치다케의 분화 이후 방제 목적으로 콘크리트 블록을 건설하는 과정에서 조성된 연못으로 원인이 명확하게 규명되지 않은 자연현상에 의해 신비로운 푸른빛을 발산하고 있다.

인근 시로가네 온천의 알루미늄 성분이 흘러 들어와 비에이가와 강과 섞이면서 콜로이드가 생성되고 이것이 햇빛을 여러 방향으로 반사시켜 푸른빛이 도는 연못으로 생겼다는 설이 있다.

연못이 조성되면서 수몰된 낙엽송과 자작나무가 서 있는 모습이 물

에 비쳐져 신비로움을 자아내고 있다.

연못으로 가는 길가에 즐비하게 피어 있는 보라색 클로버 꽃들은 발칸반도에 여행 갔을 때 처음으로 보고 신기해했던 어느 정원을 연상케 하다.

다이세츠 국립공원에 있는 은하 폭포를 구경했는데 그리 큰 폭포는 아니다.

산 아래로 내려가 흰 수염 폭포(시로히게노타키)를 구경하였다.

흰 수염 폭포는 시로가네 온천가에 불루 리버 다리 양쪽에 펼쳐진 폭포로 계곡의 낭떠러지의 바위틈에서 여러 가닥의 가는 폭포수가 흘러내려 흰 수염처럼 보인다고 해서 흰 수염 폭포라고 이름이 붙여졌다

고 한다.

아이스파 빌리온(얼음 테마파크)으로 갔다.

아이스파 빌리온으로 들어가기 전에 색연필로 마치 마술을 하듯하는 모습을 보여 주었는데, 흰 종이위에 그림에 색연필로 색칠을 하고 그 것을 뜨거운 열기에 갔다 대면 그림의 색상이 없어져 색칠하기 전 하얀 종이 모습으로 되돌아오는 것이었다. 그런 이벤트를 경험하고 아이스파 빌리온으로 들어갔다.

아이스파 빌리온은 작은 얼음 동굴로 작은 동물들의 얼음 조각, 얼음으로 된 작은 방을 만들어 놓았고, 동굴 속은 마치 일반 동굴처럼 얼음으로 천장부터 바닥까지 종류석 같은 모양으로 만들어 놓아 신비감을 자아내게 하였다.

아이스파 빌리온을 나와서 佑眞館으로 향하다.

佑眞館(TAKU SHIN KAN)은 사진작가 마에다신죠씨가 건립한 것으로 마에다신죠 사진작가는 원래 농사짓는 농부였는데 그의 형이 사진기를 가지고 있어 우연한 기회에 그 사진기를 빌려 사진을 찍기 시작하면서 그것에 심취 되어 농사

일을 그만 두고 사진작가가 되었다고 하며, 자기 작품을 전시하기 위해 전시관을 건립 사진을 전시, 판매하기도 하고 있다.

건물 전시관은 이층으로 되어 있고 크고 작은 작품들이 많이 전시되어 있었다. 놀라 우리만큼 작품은 아름답고 색상표현 기법이 나의 안목으로는 도저히 평을 할 수 없는 훌륭한 작품들이었다. 그 작가의 숨은 재능이 사장(死藏)되지 않고 빛을 볼 수 있었다는 것은 신의 가호가 아닐까!

사진전시관을 뒤로하고 아칸으로 이동, 아칸 국립공원에 있는 굿사로코 스나유(屈斜路湖沙湯)로 가다. 크고 넓은 칼데라호인 굿사라코호반의 모래를 조금만 파면 온천수가 나온다. 그 온천수에 족욕을 하는 사람 들이 더러 있었다.

그 반대편 아칸국립공원(阿寒國立公園)에 있는 유황산(硫黃山)으로 가다. 멀리서부터 유황 냄새가 코를 찌른다. 산 가까이에 가니 산표면으로 노란 유황 무더기가 여기저기에 산재해 있고 그 유황 무더기에서 연기가 하얗게 끊임없이 솟아오르고 있다. 금방이라도 유황 속에서 불길이 솟아오를 것 같은 불안감이 휩쓸어 더 가

까이 갈 수가 없었다. 유황산은 휴화산으로 언제 폭발 할지 모른다 했다.

일본 본토 하꼬네에서 볼 수 있었던 광경을 이곳 북해도에서도 볼 수 있었다. 왠지 신비스러운 모습을 보면서도 한편 마음이 무거운 것은 왜일까?

아칸코(阿寒湖)에 도착하다.

아칸코는 크고 넓은 주변경관이 수려한 호수이다. 특히 일본의 특별천연기념물로 지정된 '마리모'가 서식하는 귀중한 호수이다.

'마리모'는 수중에 사는 녹색 수초인데, 아칸호수의 '마리모'는 둥근 구체로 계속 성장하는 특징이 있다고 한다.

우리는 유람선에 승선 미끄러지듯이 흘러가는 배안에 앉아 호수 주변의 울창하고도 아름다운 청록의 숲과 거기서 품어 나오는 향취에 취하며, 그 모든 것을 담아보려고 이리 저리 셔터를 눌러 대곤 했다. 얼마를 갔을까~~~ 작은 섬에 배를 정착시켰다. 배에서 내려 자작나무 숲을 따라 조금 걸어가니까 작은 집이 나왔다. 그 곳은 수중에 사는 녹

색 '마르모'의 성장 과정과 호수 주변의 풍광의 변화 모습을 보여주는 영상이 있어서 그 변화 모습을 감상할 수 있었고 네모난 큰 어항 물속에 크고 작은 둥근 '마르모'를 넣어 군상을 이루게 하여

그 성장과정을 관찰하도록 해 둔 것이 있다. 선명한 녹색의 군상(群像)
으로 모여 있는 '마로모' 참 예쁘다.

　다시 승선하여 돌아오는 배 안에서 친구들은 유년으로 돌아간 듯
재미있는 놀이로 웃
음을 자아내며 우(友)
테크의 면면을 보여
주었다.

　배에서 내려 아칸
호수 인근에 있는 아
이누 코탄으로 갔다.

　아이누 코탄은 북해도의 원주민인 아이누 민족의 마을로 36가구의
200여명이 생활하는 곳으로 북해도에서 가장 큰 아이누 코탄이다. 마
을을 아이누어로 코탄이라고 한다. 이곳은 아이누 민족의 문화를 엿
볼 수 있는 민속촌이다. 옛날의 아이누 민족이 살았던 가옥과 아이누
민족의 문화를 체험할 수 있는 작은 가게들, 독특한 문양으로 만들어
진 건물, 조각 등을 볼 수 있다.

　가게 안에는 아이누의 전통 공예인 나무 조각, 아이누 문양을 수놓

은 자수품, 전통악기인 뭇쿠리, 각종 악세사리 등 다양한 공예품을 만들어 팔고 있었고, 가게 안에서 아이누 사람들이 공예품들을 만들고 있는 모습도 볼 수 있었다. 색다른 체험을 하고 토카치가와로 이동하다.

다음날 조식(朝食) 후 토카치가와 언덕으로 이동.

토카치가와 언덕으로 이동하는 차창 밖으로 히다카 산맥의 압도적인 스케일이 물결치는 숲의 생명력을 느낄 수 있는 곳, 드넓은 목초지 언덕에 펼쳐 있는 목장 들, 잘 정돈 된 전원(田園)을 이룬 그 곳의 풍요로운 대자연이 싱그러운 모습으로 스쳐 지나가곤 했다. 한 폭의 그림이다.

토카치가와 전망대로 가서 꽃시계 주변을 둘러보고 단체사진 촬영 후 짧은 여정에 대한 아쉬움 속에 다음을 기약하며 귀국길에 오르다.

여행 중 우리 모두 나신(裸身)으로 온천욕을 즐기던 추억도 기리 남기기를~~~~

숲에도 과거가 있다

- 도이칠란드 -

글, 사진 **최 윤 정**
(시인, 여행작가)

아름답다.

나무들은 한참 물오른 연두 빛이고 하늘은 푸르다. 길은 좁고 긴 오솔길, 그 건너편은 온통 유채꽃이다. 누군가 노란 물감을 부어 놓았다. 참으로 감당할 수 없는 색의 향연이다, 봄이면 이곳 유럽의 무료한 공허함도 이렇게 화려해 진다, 벌들의 채밀이 한참인지 바람까지 달콤하다, 지평선까지 꽃으로 덮인 눈부신 평야, 그 옆의 숲, 땅에 뿌리를 내리고 선 나무들이 깊고 오묘하다. 기념비적인 세월을 지내온 나무들은 숲을 이뤄 단단하게 뿌리를 내렸다. 여행 중, 독일의 파크프라츠 갈겐(Parkplarz galgen)에서 만난 주위의 풍경이다. 나는 누가 부르기라도 한 듯, 숲으로 들어간다, 감추어진 비밀이라도 찾아 나선 듯, 그 속이 궁금하다. 안으로 들수록 숲은 시정(詩情)으로 넘친다. 나뭇가지 사이로 비처럼 내리는 길고 가는 햇살, 자연이 부리는 마법이다. 나는 몇 아름이나 되는 나무를 사랑스럽게 쓰다듬는다. 향기 나는 삶을 치하해 주고 싶었기 때문이다. 그런데 놀랍게도 나무는 매우 냉소적이다, 의외의 놀라운 반응이다. 어찌 보면 나무는 자못 나를 비웃는 것 같기도 하다.

"네 눈에 이 숲이 아름답게 보이니? 사실 이곳은 생각하는 것처럼 그렇게 감탄할 만한 장소가 아니란다. 평화로운 풍경에 빠져 감탄을 하느니 아래 주막집에 가서 취하도록 술을 마시는 것이 나을거야. 아무것도 모르는 너는 차라리 가서 인생이나 즐기시지 그래!"

나무는 비장하며 엄격한 표정으로 이 말을 남겼다. 그리고는 다시는 입을 열지 않았다. 나는 떠나라는 나무의 권유를 무시한 채, 계속 숲길을 걷고 있다. 그러나 자꾸 신경이 쓰인다. 나무의 전언(傳言)에서 무시할 수 없는 위엄을 느꼈기 때문이다. 그런데 이상한 일이다. 아까부터 내 뒤를 밟는 듯, 아니면 내 앞을 가로지르는 듯, 기척이 느껴진다. 아무래도 여자가 틀림없다. 흙 묻은 발꿈치가 보였고 긴 치맛자락도 언뜻 보였다. 숲속이 고요해서일까? 갑자기 나도 모르게 모골이 송연해진다.

"대체 누구죠? 왜 내 뒤를 밟나요?"

되도록 침착한 목소리로 숲을 향해 소리를 질러 보았다. 이상한 일이다. 아무 반응이 없다. 분명 누군가 보였었다, 갑자기 심장이 빠르게 뛰며 두려움에 몸이 떨린다.

그러나 도망갈 생각은 추호도 없다. 긴장감을 동반한 강한 호기심을 떨쳐버릴 수 없었기 때문이다. 그리고 바로 그 때, 발견한 것은 나무 뒤에 숨어 몰래 나를 훔쳐보던 여자였다.

아름다운 용모였다. 그러나 가까이 보니 헝클어진 머리, 여기저기 찢긴 옷, 아마도 난감한 일을 당한 것이 틀림없어 보인다. 온통 슬픔과 걱정으로 가득 찬 표정, 그녀는 금방이라도 눈물을 쏟아 낼 요량이다.

"나는 아주 오래 전부터 이 숲에서 내 이야기를 들어 줄 사람을 기다려 왔답니다."

애절한 눈빛의 그녀에게서는 한 눈에 보아도 비극의 예감이 진하게 풍겨 온다. 아무래도 애통한 사연임이 틀림없어 보인다, 그녀는 따라오라는 손짓을 한 후, 앞장을 선다. 잠시 후, 그녀가 발길을 멈춘 곳엔 알 수 없는 구조물 하나가 세워져 있었다, 나로서는 그것이 무엇인지 도무지 알 수가 없다. 그러자 여인이 설명을 시작했다.

"이건 교수대랍니다. 나는 저 들보에 매달려 처형을 당한 이곳의 마지막 죄수였지요. 내가 저지른 죄는 도둑질입니다. 빵 한조각과 산 닭 한 마리를 훔쳤어요. 남편은 하늘나라 간지 오래 전이고 4명의 아이들을 굶긴지 꼭 사흘이 되는 날이었지요. 제가 남의 것에 욕심을 낸 것은 결코 옳은 일이 아닙니다! 그러나, 오~ 그러나… 어린 자식들을 보아 자비를 베풀어 주기를 목 놓아 호소했지만 거절당하고 말았어요. 당시

영주는 흉흉한 민심이 두려워 나를 본보기로 삼았다고 하네요. 공포감을 조성해 반기를 들지 못하게 하려니 희생양이 필요했던 거지요. 이승의 한을 품고 숨이 끊어진 나는 개처럼 들보에서 내려져 황량했던 이 숲에 던져졌어요. 배고픈 아이들을 두고 온 어미의 씻을 수 없는 죄여! 다행히 내가 죽은 지 얼마 후, 학정을 견디지 못한 이곳에선 만중봉기가 일어났지요. 그리고 얼마 후, 주민들에 의해 영주 역시 이 들보에서 생을 마감했다고 합니다. 슬프게도 그의 죽음을 애도하는 사람은 아무도 없었다고 해요."

아무렇지도 않고 그저 아름답기만 한 이 숲에도 과거가 있었다, 그리고 그 숲의 과거는 사람들이 만들어 왔다, 이곳을 빨리 떠나라는 나

무의 권유는 어쩌면 성자(聖子)다운 행동이었을지도 모르겠다. 어쩌면 슬픈 과거를 겪지 않게 하려는 배려였을 것이다. 또한 숲에게 유쾌한 역사를 만들어 달라는 간절한 주문이다. 그러나 나무가 호소한 이 절박한 부탁, 이것을 인류는 잘 지켜낼 수 있을까? 진심으로 의문이다. 지금은 자연도 인간에게 철저하게 지배당하는 세상이니⋯ 그리고 또한, 힘 있고 가진 자들의 횡포로 그 어느 때보다 눈물이 많아진 세상이니 ⋯

後記 : 가슴 속, 이야기를 털어놓은 슬픈 여자는 이제 한 많은 숲을 떠나 달에 안착했다고 합니다. 밤이 되면 그녀는 달빛으로 내려 와, 세상에 홀로 남은 아기들의 뺨을 사랑스럽게 어루만진 후, 돌아간다고 하네요.

오래된 것에 무한한 연민을 가지다

- 쿠바(Cuba) -

글,사진 **최 윤 정**
(시인, 여행작가)

쿠바(Cuba)를 추억할 때마다 사무치게 그리운 것이 여럿 있다. 그 중

하나는 친할머니를 마주한 듯, 다정했던 '마리오'(Mario)할머니이다. 그녀를 만난 것은 세계적인 대문호 '헤밍웨이'의 옛 저택이 있는 마을, '샌프란시스코 데 파울라'에서였다. 왜? 미국도 아닌 그 곳에 '샌프란시스코'라는 지명이 붙었는지는 모르겠다. 허긴 '아바나'의 '코히마르' 해변에 위치한 항(港)의 이름도 '샌프란시스코'이다. 직선으로 마주보이는 바다의 끝이 미국이다. 1959년 카스트로는 혁명이 성공하고 체제는 공산주의로 전환한다. 미국은 그 보복으로 쿠바를 상대로 경제 봉쇄정책을 편다. 경직된 쿠바를 두려워한 많은 사람들은 작은 보트에 몸을 싣고 미국행(行)을 시도한다. 조국을 버리고 가는 사람들에게

바다는 관대하지 않았을 것이다. '샌프란시스코'로 향한 바다는 목숨을 건 탈출자들이 수장된 슬픈 현장이기도 하다. 그래서인지 '아바나'에서의 '샌프란시스코'라는 단어는 쿠바인들이 꿈꾸던 이

상향의 상징적 단어로 느껴진다. 그러나 헤밍웨이의 마을, '샌프란시스코 데 파울라'는 그 어디에서도 미국적인 것을 발견할 수가 없다.

내가 '헤밍웨이'의 집에 도착 했을 때, 그곳은 사정이 생겨 개장시간을 늦출 수밖에 없다는 설명이었다. 두어 시간의 여유가 생긴 나는 천천히 마을을 돌게 되었다. 그리고 어느 오래되고 낡은 집 앞에 잠시 쉬게 되었고 그 집만큼이나 나이가 드신 '마리오' 할머니를 만나게 되었다. 할머니의 손을 처음 잡았을 때, 나는 그녀가 얼마나 삶을 정직하게 살아왔는지 금방 알아챌 수 있었다. 꺼칠하고 메마른 손, 아름답거나 부드럽지도 않았지만 그 다정함은 설명이 필요 없을 만큼 따뜻했다. 할머니의 요청에 따라 집으로 들어가니 모든 것이 오래된 것들뿐이었다.

의자도… 식탁도… 냄비도… 접시도… 몇 벌 걸려있는 옷들도 작은 공간은 온통 쌓인 먼지처럼 고요하기만 했다. 그 속에서도 유일하게 반짝이는 것이 있었다면 방안까지 찾아 온 부드러운 오전의 햇살이었다. 그럼에도 할머니의 집은 나에게 강한 향수를 불러일으키게 한다. 선뜻 다가가지 못했던 이국에서의 많은 낯선 것들과 또 달랐다. 할

머니는 오래되어 이가 빠진 찻잔에 더운 물을 부어 차를 우렸다. 뒤뜰의 풍경이 잘 보이도록 창문도 활짝 여섰다. 오랜만에 역동적이 된 할머니의 집은 숨을 쉬는 듯,

활기를 찾은 듯 했다. 할머니와 나의 웃음소리도 한몫 했을 것이다. 다시 나는 천천히 이곳저곳을 둘러본다. 세상에는 많은 아름다운 풍경들이 있다. 특히 쿠바에서는 시간의 관념이 딜라져아 한다. 녹슬고 부시지고 허물어져가는 집들의 역사, 거리에서 씽씽 잘 굴러가는 5·60년대에 생산된 올드 카, 좁은 골목의 풍경 등, 등이 회귀(回歸)한 과거형이다. 독특한 문화가 살아있는 '올드 아바나'의 좁은 골목이야말로 그대로 향수의 근원으로 믿어진다. 낡고 녹슬고 부서져 볼품없는 것들의 아름다움, 이상하게도 그것들은 조금도 추하거나 암울해 보이지 않는다, 그것이 쿠바라는 나라가 가진 특별함일 것이다. 영원한 삶을 살 것 같은 무한성······ 오히려 그것은 감동을 낳게 한다.

'마리오' 할머니는 영어를 단 한마디도 못하신다. 나는 스페인어를 모른다. 그런데도 우리는 서로의 말을 다 알아들었던 것이 신기하다. 어떤 장애도 없었다. 몸짓언어 이상의 교감이 믿음을 바탕으로 교환됐기 때문일 것이다. 특히 자식이 몇 명

이냐 물으실 때, 할머니는 손으로 배를 둥 그렇게 만들어 임신을 암시했다. 나는 조금도 망설임 없이 손가락 두 개를 펴보였다. 그리고 우리 둘은 "까르르" 웃으며 부둥켜 안았다.

　험난할 것 같았던 대화가 너무도 쉽게 해결되니 기뻐서였다. 할머니와 나의 소통은 그런 식이었다. 여행 중에는 짧은 시간임에도 누군가와 깊이 정이 든다. 특히 할머니는 멀리에서 쿠바까지 찾아 온 이방인을 피붙이처럼 환대해 주었다. 아껴두었던 할머니의 비스킷도, 아주 조금 남은 치즈도 녹이 슨 손칼로 깍은 사과도 내게는 영롱한 추억이다.

　요즘도 가끔 나는 피곤한 외출을 마치고 집으로 돌아오며 '마리오' 할머니를 생각할 때가 있다. 사실이다. 문을 열면 인자하지만 유쾌하셨던 친할머니의 미소와 함께 쿠바의 그녀가 떠오른다. 인연이라는 것이 참으로 묘하다. 내 생에 다시 만날 기회가 없을 것이 뻔한 … 그래서 더욱 할머니가 그립다. 낡고 오래된 집을 떠날 때, 마치 물정 모르는 철부지를 세상으로 내보내는 듯, 안타깝게 눈물짓던 모습을 잊지 못

하겠다. '아디오스'(Adio's- 안녕히!)라는 단어의 의미, 이별을 경험한 사람이라면 알 것이다. 두렵고 무거운, 그래서 더 어쩔 수 없는 그 신파조의 아쉬움을 이해할 것이다. 그러면서도 할머니는 결코 "아스타 루에고(Hasta luego- 다시 만나요!)"라고는 하지 않으셨다. 오래 산 할머니는 예감만으로도 우리가 다시 만날 수 있다는 것이 얼마나 희박한 희망사항인지 아셨을 것이다.

지금도 '마리오' 할머니의 집에는 내가 드리고 온, 카리브 해의 물빛을 닮은 푸른색의 스카프와 조금의 달러($)가 그대로 있을 것이다. 그것들은 오래되어 낡을 때까지 영원히 그곳에 있을 것이다, 그리고 그것들은 할머니의 다정한 체취와 친절을 닮아갈 것이다. 그리고 언젠가는 빛나는 추억이 될 것이고 오래된 것에 무한한 연민을 갖게 될 날이 올 것이다.

로키산맥

글,사진 **김 정 아**
(여행가)

캐나다에 사는 딸네 집을 다녀서, 5박6일 일정으로 로키산맥(Rocky 山脈)을 향해 여정을 시작했다.

캐나다는 자연의 장엄함과 아름답고 매력적인 현대적 감각이 잘 어우러진 나라이다. 그 중에서도 누구나 가고 싶어 하는 천혜의 자연 조건을 갖추고 있는 웅장한 로키산맥이다. 로키산은 '유네스코 세계문화유산'으로 누구나 한번은 꼭 가보고 싶은 여행지로 많은 수식어들이 붙어 있는 곳이기도 하다.

세계 3대 관광명소 중 하나인 로키는 눈이 내리는 겨울에도 좋은 곳이지만, 느근하고 온화한 7~8월의 날씨에 만년설을 즐기며 여행하기에 좋은 계절이라 한다.

로키는 밴쿠버(Vancouver)에서 약 10시간이 소요된다고 한다.

기대와 들뜬 마음으로 출발한 자동차는 로키의 절경 속으로 빠져들었다. 로키산을 타고 흐르는 맑은 계곡 물은 동물(곰, 산양, 사슴, 수달 등)들의 지상낙원, 각종 수많은 식물들이 살고 있는 목초지와 빙퇴석들로 유명한 빙하호수, 폭포, 협곡 등이 자연의 위대함을 그대로 보여주고 있는 고지대 공원이다.

하얀 만년설로 뒤덮인 3,000m가 넘는 로키는 에메랄드빛깔 호수와 조화를 이루며, 여러모로 완벽한 자연환경은 관광객들의 발길이 끊이지 않도록 만들고 있다.

높이 펼쳐지는 거대하고 웅장한 로키 산의 12만2천 봉우리 밑으로 여유롭고 전형적인 캐나다 농촌지역 칠리왁스를 거쳐 Gold Ruch의 도시 호프를 관광했다.

BC주 남동 중심을 쭉 뻗어 가로지르는 눈사태가 많이 나는 곳으로 알려진 코키할라 고속도로를 따라 달리는 풍경은 말로는 설명 할 수 없을 정도이다.

얼마를 달렸을까, 준 사막지역인 컨츄리 음악의 향기를 느끼며 메릿시에 도착했다. 메릿시는 목재의 도시이자 내륙교통의 중심지인 조금은 한산해 보이는 캠룹스가 있다. 이 곳은 한국인들이 이민을 많이 오는 도시로 알려져 있다.

이어서 BC남부 내륙의 Shus Wap Lakr가 감싸고 있는 호반의 도시 새먼암 시카무스는 아름다움을 보여주는 자연의 신비라고 말할 수 있다. 또한 캐나다 내륙횡단 철도의 주요 완성지라 할 수 있는 라스트 스파이크를 거쳐, 주요 정차 도시인 레벨스톡 풍경 역시 경이롭고 감탄

밴프 시내

사를 연발하게 하는 아름답고 황홀한 풍경이다. 우리는 바쁜 일정을
소화하기 위해 차를 타고 달려야만 했다.

남, 북 톰슨 River(한국의 양수리 두물머리 같은 강)도 관광의 명소로 장
관이다. 캐나다 로키에서 가장 중요한 곳은 밴프(Banff)이다. 밴프는
1985년 캐나다 최초의 국립공원이며 세계 3대 국립공원으로 정말 아
름답고 아기자기한 매력의 도시이다.

또한 유네스코 지정 세계 10대 절경 중 하나인 레이크루이즈 호수
는 눈부시다. 해발 2,646m 빅토리아 산의 거대한 빙하로 이루어진 호

레이크루이즈 호수

Ice Fied 설상차

수다. 영국 빅토리아 4번째 공주의 이름을 딴 이 호수는 캐나다 로키를 대표하는 명소로 세계적으로 알려져 있다. 영국 BBC방송에서는 세계 100대 안에 드는 관광지로 죽기 전에 꼭 가봐야 할 곳으로 소개하고 있다. 감미로운 유키 쿠라모토의 피아노 선율이 가슴속에 잔잔히 전해오며, 진한 감동을 느낄 수 있다.

로키산맥 관광을 하면서 가장 인상적이었던 것은 Ice Fied 설상차와 해발 3750m 콜롬비아 빙원에서 흘러내린 아싸바스카 빙하(Athabasca Glacier)이다. 4번의 빙하기를 거쳐 형성된 아싸바스카 빙하는 총길이 6km이고, 넓이가 1km의 거대한 얼음조각이다. 다행이도 날씨가 좋아 장관을 이루는 대 빙원을 볼 수 있었고, 약 만 년 전의 무공해 팔각수(Octagonal Water)를 더운 날씨에 시원하게 맛을 볼 수 있었다.

콜롬비아 빙하

사계절 종합휴양지인 이곳은 2002년 6월, 28회 G8 정상회담 장소이기도 하다. 우리는 아름다운 이곳 kamanaskis Hotel에서 숙식을 하면서 절경에 감탄할 뿐이었다. 알버트주 최고의 리조트이고, 골프, 승마, 스키, 하이킹 등 다양한 엑티버티를 즐길 수 있는 세계적인 광관명소로 진면목을 보여주고 있다. 더불어 그리글리, 곰, 엘크, 무수 등의 야생동물의 천국이며, G8정상회담이 열릴 정도로 뛰어난 풍광 속에서 그저 행복했다.

　또한, Peyto호수(일명 김지미 호수)는 한국영화배우 김지미가 이곳에 아름다운 경치와 에메랄드빛 호수를 보고 놀라 감탄했다고 해서 붙여진 이름이라고 한다.

　로키산맥을 따라 이루어지는 호수는 빙하가 녹아서 모이는 물이기 때문에 착시현상으로 호수마다 물빛이 에메랄드빛이라고 한다. 한국에서는 보기 힘든 대자연의 장관이다.

　'로키산은 청년기라 뾰족뾰족하고, 한국의 산은 노년기라 둥근 산이 많이 있다.' 라고 한다.

Peyto 호수

지금도 아름답게 펼쳐지는 거대하고 웅장한 대장정의 로키산이 지금도 눈에 선하다. 캐나다를 여행할 때, 로키산을 못 가보면 캐나다 여행을 안 한 것이라고 할 만큼 빼놓을 수 없는 관광명소이다.

설퍼산 정상에서...

다얀의 검은 안대

글 **최 건 차**
(수필가, 목사)

십여 년 전, 미국 인터넷경매시장에서 낡은 검은 안대 한 개가 10만 달러에 팔렸다. 이스라엘의 전쟁 영웅 모세 다얀(Moshe Dayan 1915~1981)이 착용했던 유품이었기 때문이다. 다얀은 1967년 6월, 이스라엘이 중동연합국 이집트와 시리아와의 전쟁에서 승리를 이끌어낸 장본인이다. 그는 1941년 시리아 전쟁에서 한쪽 눈을 잃고 검은 안대를 착용하고서 계속 군에 남아 전투지휘를 했었다. 이스라엘 정부가 수립되던 1948년 팔레스타인 전쟁 시에는 예루살렘전선의 사령관으로 성지를 탈환하고 입성한 이스라엘 건국의 영웅이기도 하다.

검은 안대의 착용은 이질적이고 부정적인 이미지로, 궁예나 해적두목들과 불한당의 거친 모습으로 인식되고 있는 게 보편적인 시각이다. 그럼에도 다얀의 검은 안대는 이스라엘뿐만 아니라 세계인의 경의와 흠모의 증표로 남게 되었다.

작금의 우리나라 지도자들이나 정치 권력자들 중에는 검은 안대를 한 사람이 없다. 혹자처럼 개 눈을 해 밖을 망정, 안대는 하지 않고 두 눈을 멀쩡하게 뜨고 다니는 것같이 보이도록 안과 의술의 혜택을 받고 있다. 사물과 현실을 보는 눈은 떠있는 것 같으나 내면의 눈을 실명했는지 보이지 않은 검은 안대를 한 자들이 있다. 두 눈이 다 보이지 않아도 훌륭하게 산 사람들이 있다는 것은 인간은 양심과 진실에 대한 것을 성찰할 수 있는 마음의 눈이 있기 때문이다.

다얀은 이스라엘군 총사령관이 되어 제2차 중동전쟁에서도 이스라엘을 승리로 이끌었다. 현역에서 퇴역한 후 1959년 벤구리온 총리의 권유로 농업장관으로 입각하여 사막과의 전쟁을 펼쳤다. 그는 거칠고 메마른 사막에 흙을 옮겨다 덮고 갈릴리호수에서 물줄기를 끌어들여 대단위 초원과 농지를 만들어 집단농장 키부츠 운동을 활성화시켜 놓고 공적을 내세우지 않기 위해서 장관직을 조용히 사임했다.

그가 군과 정계를 잠시 떠나 있던 1967년 중동에는 또 다시 전운이 감돌기 시작했다. 그해 6월 다얀은 의회의 결정과 국민들의 전폭적인 지지로 전쟁의 위기에 직면한 이스라엘 국방장관직을 맡게 되었다.

우리의 현실은 국가의 장래와 사회의 안정을 위한 일에는 검은 안대를 하고 오로지 권력을 잡고 정권만을 쟁취하려는 자들이 설치고 있어 서글프다. 고도의 궤휼과 술수를 동원한 포퓰리즘 정책은 국가를 파탄지경으로 몰아넣기 때문이다. 국민을 속이고 국가의 발전을 저해하면서 북쪽의 의도대로 남남 갈등을 일으키는데 주력하는 그들은 김정은을 위한 전사들이다. 역사적으로 좌편향 지도자들이 이끌어 나갔던 나라들, 주로 아프리카나 남미에서 사회주의를 표방한 국가들이 재정파탄으로 몰락하고 있는 것을 반면교사로 삼아야 할 때다.

이스라엘 존재를 없애버리려고 아랍의 맹주격인 이집트가 품고 있던 칼을 꺼내 들었을 때다. 이집트는 소련으로부터 강력한 지원을 받으면서 최신 탱크와 신형 미그기를 다량으로 확보해 놓고 있었다. 이웃 시리아와 연합하여 중동에서 이스라엘을 싹 쓸어버리겠다는 각오로 침공작전을 실시하려는 계획이었다.

다얀은 세계 최고의 이스라엘 정보망을 가동하여 이집트와 시리아군의 취약점을 파악했다. 전술전략상 유능한 전략가 한사람의 능력과 판단이 1개 사단 병력 이상의 능력이라고 한다. 당시 이스라엘 군에는 여러 명의 유능한 전략가가 있는 반면 아랍군 진영에는 전략가가 단 한 명도 없었다.

이집트와 시리아 연합군은 이스라엘보다 수십 배 많은 병력과 신형 소련제 탱크와 성능이 우수하다는 최신 미그기만을 그들의 신 알라처럼 믿고 있었다.

1967년 6월 초순 이집트 공항에는 최신예 미그전투기와 폭격기들이 만반의 출격태세를 갖추고 있었다. 소련에서 훈련받고 돌아온 조종사들을 두 팀으로 나누어 24시간 맞교대로 출격준비를 하고 있었다. 이스라엘 정보당국이 파악한 바로는 아침 8시는 이집트 공군조종사들이 출격임무를 교대를 하는 시간이었다. 다얀은 그들이 교대하는 시간을 제대로 지키지 않아 약간의 틈새가 있다는 것을 알게 되었다.

이에 "여호와의 구원하심이 칼과 창에 있지 아니함을 이 무리로 알게 하리라 전쟁은 여호와께 속한 것인즉 그가 너희를 우리 손에 붙이시리라" 라는 구약성경 사무엘상 17장 47절을 상고하면서 작전을 감행했다.

이스라엘 공군은 보유하고 있는 구형 전투기에 폭탄을 싣고 출격에 나섰다. 아침 8시 바로 몇 분 전부터 틈을 주지 않고 이집트 공항에 폭탄을 사정없이 퍼부었다. 맨 처음 출격한 편대가 폭격을 끝내기도 전에 다음 편대가 날아와 폭탄을 퍼으면서 한편으로 기총사격을 해댔다. 그리고 또 다음 편대가 날아가 폭탄을 퍼붓고 기총사격을 하면서 적이 숨 돌릴 사이를 주지 않고 계속했다. 출격했던 편대가 돌아가 다시 폭탄을 싣고 날아와 폭탄을 퍼부어 대는 상황이 계속되자 이집트 공항당국은 정신을 차리지 못하고 자멸지경에 빠져버렸다.

아침 8시 느슨하게 교대하러 들어오던 이집트 조종사들은 계속 날아오는 이스라엘 전투기와 불에 타고 있는 미그기를 보면서 꽁무니를 빼버렸다. 공항에 대기하던 조종사들 역시 출격을 포기하고 교대시간이 지났으니 우선 살아야겠다고 공항 밖으로 급히 도망쳐버렸다. 이렇게 무방비 상태가 된 이집트공군은 소련에서 들여온 최신예 전투기와 폭격기를 몽땅 잃어버렸다. 한편 이스라엘 지상군의 보병과 탱크부대는 공군의 지원을 받아가면서 시리아 국경을 넘어 진격하였고, 이집트 쪽으로는 이스라엘 국토의 몇 배가 되는 시나이 반도를 점령해버렸다. 제공권을 다 잃고 시나이반도를 빼앗긴 이집트와 시리아 연합군은 전의를 상실한 채 패주하다가 개전 6일 만에 검은 안대를 한 다얀에게 백기를 들고 말았다.

지금 우리는 북한의 핵위협 앞에 안보불감증의 검은 안대를 하고 있는 것 같다. 요즘 들어 다얀과 같은 지도자와 나라를 지키기 위한 국민의 단합된 안보의식이 어느 때보다 절실해진다. 전교조의 좌파교사들이 고의로 시국에 대한 잘못된 교육을 실시하여 학생들이 국가와 안보에 부정적인 시각을 갖게 하고 있다. 학교에까지 파고든 종북 좌파들의 거짓 이념교육과 좌파들의 선동에 지역 이기주의까지 겹쳐 대한민국이 몽롱해지는 것 같다. 이런 상황에 진실과 양심에 검은 안대를 한 자들이 호기를 잡았다싶어 대권을 잡으려고 전국을 상대로 술렁이고 있다. NLL문제와 제주도 해군기지, 광우병, 세월호 사태의 배후에 있었던 자들이다. 이번에는 사드 문제를 가지고 국론을 분열시켜 득을 보려는 속셈이다.

대통령이 해외순방 중에 사드문제로 국군 통수권을 대행하는 국무총리와 국방장관을 6시간 이상 가두고 행패를 부린 자들이 누구인지를 알아내어 국법으로 단호히 처리해야 한다. 풍전등화와 같은 국가의 안보를 짓밟고 주민들 선동에 앞장을 섰던 정치인들과 조력자들을 철저하게 색출해서 엄정한 심판을 받게 해야 할 것이다.

바라기는 국익과 안보를 저해하던 자들이 이제라도 다얀의 검은 안대를 떠올리면서 이집트 조종사들과 같은 전철을 밟지 않았으면 한다.

C-레이션

글 **최 건 차**
(수필가, 목사)

C-레이션(Combat Ration)은 미군들의 전투식량으로 어디서나 누구나 쉽게 먹을 수 있는 식품이다. 그것에 맛이 들어 살아왔던 전력 때문에 요즘도 장거리 등반 중에 한 두 끼 식사를 산에서 하다보면 그게 먹고 싶어져 눈에 아른거린다. 뿐만 아니라 지나온 여정도 그것처럼 다양한 경험 때문에 전천후하게 살고 있는 것 같다.

내가 C-레이션을 처음 접한 것은 6·25전쟁이 한창이던 1952년이었다. 남한에 사는 국민들 대부분이 미국에서 보내준 옥수수가루와 분유를 받아먹을 때였다. 한번은 갈색종이상자에 든 것을 배급받았다. 그것도 가구당 1개 정도는 다 받았던 것 같다. 미국이란 나라가 얼마나 크고 부자이기에 옥수수가루와 우유가루에 이런 것까지 다 보내주는가 싶어 감격했고 몹시 부러웠다.

우리는 영어를 읽을 줄 몰라 그냥 열고 보니 국방색 깡통이 쏟아져 나왔다. 깡통따개가 들어있었지만 수단방법을 다 써서 뚜껑을 열고 보니 각각 다르게 여러 가지가 들어있었다. 빵, 복숭아통조림, 콩이 섞인 돼지고기, 감자를 으깨어 섞은 닭고기볶음, 비스킷 등이 들어있어서 맛있게들 먹었다. 그 외에도 작은 약봉지 같은 질긴 갈색종이봉지에는 설탕, 분유, 검정가루, 소금, 후춧가루가 들어 있었고 별도로 카멜 양담배 4개비에 성냥과 바둑 껌까지 들어있어 요즘의 표현으로 환상적인 종합 선물세트였다. 그 중에 작은 종이봉지에 든 설탕과 분유는 달고 좋았는데 알 수 없는 검정가루가 무엇인지 궁금한데 아는 사람이 없었다. 급한 김에 설탕처럼 먹어보려다 소태처럼 쓴맛에 놀라 내버려뒀는데 침이 묻은 부분이 굳어져서 고약처럼 되 버렸다. 누군가가 다친데 바르라는 약인 게라고 해서 환처에다 발랐는데 나았다는 것이다. 나도 다친 무릎에다 그것을 바르고 나았었다.

6·25전쟁으로 피난민이 몰려든 부산에서는 얼기설기 지은 판자 집들이 C-레이션 박스를 많이 사용했다. 영도에서 살았던 우리 집도 국제시장에서 파는 그것을 깡통 별로 사다먹으면서 빈 박스로는 지붕을 하고 외벽에도 붙이고 살았다.

나는 부산에서부터 시작하여 카투사와 베트남전을 거치면서 C-레이션을 많이 먹게 되어 그것의 용도와 효과처럼 하고 싶은 일을 웬만큼 다 해보면서 살아왔다.

카투사하사관으로 왜관 캠프캐롤에서 복무하던 1965년 여름, 폭우로 전방의 미군진지에 피해가 발생했다. 내가 소속한 미44공병부대가 화물열차에 장비와 C-레이션을 잔득 싣고 의정부로 향했다. 한강을 건너 동부이촌동을 지나게 되는데 철로주변이 온통 판자 집들이라 천천히 달리게 되었다. 미군 화물열차를 보고 아이들이 달려 나와 무엇을 달라고 소리를 쳤다. 나는 화차 뒤 칸에 잔득 실린 박스를 풀어 무조건 밖으로 던지게 했다. 그것은 그냥 싣고 갈 뿐 그 숫자나 처리에는 무관심 할 정도로 물자가 풍성했고 화차에 실린 것은 내 책임으로 처분할 수가 있었기에 어린 시절을 떠올리면서 맘껏 인심을 써버렸다.

의정부역에 도착하여 트럭에 옮겨 타고 달려간 곳은 경기도의 끝자락 운천이었다. 그곳에는 캠프 카이져라는 병영에 미7사단의 1개 여단이 주둔하고 있고 도로 건너편에는 리틀 타이거라는 태국군 부대가 있었다. 나는 본부중대 선임하사관이어서 진지를 보수하는 현장에는 나가지 않고 부대 안 본부에 있었다. 캠프 내의 제반시설이 왜관캠프캐롤에 버금갈 정도로 대단해 보였고 서울에도 잔디구장이 없을 때인데 야구를 즐기며 미식축구를 하느라 잔디가 넓게 깔려 있는 것을 보고 심한 문화충격을 받았었다. C-레이션은 관심 밖이었고 식당에서 A-레이션으로 제때 조리해 주는 식사를 하면서 한 달여를 지내다가 왜관캠프캐롤로 복귀한 적이 있었다. 1940대로부터 60년대까지가 미국의 최전성기였다. 해외주둔 미군들에 대한 예우는 당시 미국의 중산층이 먹는 식단과 생활수준이라고 했다.

미군들 식단은 어디에서도 찾아볼 수 없는 최상이었다. 잘 먹고, 잘 입고, 잘 훈련된 미군이 세계유일의 최강의 군대인 것을 식사에서부터 알아볼 수가 있었다.

A-레이션(A-Ration)은 고정된 부대에서 일상적으로 빵을 굽고 계란, 고기류, 신선한 야채 등으로 조리를 해서 먹는 식사. B-레이션(B-Ration)은 야외에서 집단으로 훈련을 할 때 간단하게 조리해 먹을 수 있는 식단을 말한다. 나는 미군들과 문화탐방과 해수욕을 갈 때나 밖으로 외출을 할 때 식당에서 싸주는 점심을 가지고 다녔다. 아무데서나 쉽게 먹을 있도록 샌드위치와 종이팩에든 우유나 주스, 오렌지나 사과를 봉투에 넣어 다녔는데 그런 게 B-레이션이었다.

C-레이션은 문자 그대로는 전투를 할 때 먹는 비상식량이다. 한국전에 참전한 중공군들의 전투식량은 곡물 볶은 가루를 전대 같은 자루에 넣고 다니면서 먹었다.

미군은 1950년대로부터 60년대까지는 상당히 개량된 것으로 한 박스에 12개가 들어 있었다. 간단하게 한 박스만 가지면 참호에 들어가 조리를 하지 않아도 골고루 먹으면서 나흘 이상 싸울 수가 있었으니 대단한 아이디어의 전투식량이었다.

베트남전이 한창일 때는 그것이 미군과 한국군의 전투식량이었지만 베트남인들이 더 좋아했고 베트콩들에게도 이상적인 전투식량이 되는 생명줄이었다. 그런 상황이라 미군들의 보급기지 캄란에서 그것을 트럭이나 큰 트레일러로 싣고 나오다 샛길로 빠져 정글로 속으로 사라져버리는 경우가 있었다. 그게 시장으로 흘러들어가고 결국에는 베트콩들의 전투식량이 되었던 것이다. 결과적으로 아군과 적이 미군의 전투식량을 나누어 먹으면서 전쟁을 했던 것이다.

나는 베트남에서 얼마간 보급차량을 호송하는 칸보이 소대장이었다. 처음 나간 작전이 C-레이션과 철조망, 판자, 양철, 모기장 등을 12대의 트럭에 싣고 캄란에서 베트콩 소탕작전을 벌이는 팜랑까지 운송하는 작전이었다. 선두의 지프차에는 나와 운전병 이외도 뒤 자석에 기관총사수와 또 한 명의 무전병이 탑승하고 있었다. 위장한 철모에 미제 방탄조끼를 입고 완전무장으로 출동을 하지만 베트남전에서 가장 위험하고 적의 타깃이 되는 것이 바로 병력과 보급품 수송차량의 선두호송 차량이었다. 각 트럭에는 운전병과 조수가 M16으로 무장을 한 상태로 식사용 C-레이션을 싣고 다녔다. 도로는 정글 사이나 들판을 지나 해안가로 가는 곳도 있었지만 도로의 사정이 좋지 않아 기습을 받을 우려가 많았다.

어느 날은 캄란에서 17대의 차량에 C-레이션과 보급품을 싣고 투이호아로 가는 작전이었다. 캄란기지를 벗어나 해안가에서 휴식을 하게 되었을 때 선임하사관이 소대장님을 위하여 특식을 만들겠다며 수류탄 투척을 할 필요가 있다고 요청했다. 조심하라고 허락하였더니 바다로 흐르는 물에다 수류탄 몇 발을 투척하여 숭어를 잔뜩 건져와 전투식량에서 나온 소금을 쳐서 구워먹었다.

얼마나 맛있게 먹었던지 요즘도 그때의 정경이 가끔 떠오른다. 그리고 지프차 운전병과 전령이 "소대장님 신발을 미제정글화로 바꾸어 드리겠습니다" 라는 것이다. 그때까지 나는 한국에서 지급받은 국산정글전투복에 투박한 정글화를 신고 있었다.

지프차를 운전해 캄란베이로 다시 들어가더니 박스 하나를 싣고 나와 뚜껑을 열어 미군정글화를 발에 맞는 걸로 골라주었다. 나는 그 때까지 만도 계급만 중위로 소대장일 뿐 베트남전에서는 신출내기였다.

투이호아는 백마부대가 맹호부대와 경계를 맞대고 있는 최 북쪽으로 지형이 험난한 곳이라고 했다. 차량 17대를 이끌고 백마사단사령부가 있는 닌호아의 해변 야자수 아래에서 C-레이션으로 점심을 푸짐하게 먹었다. 해풍을 맞으러 놀러 나온 기분으로 커피를 마시자니 전쟁이란 게 이런 것인가 싶은 생각이 들었다. 또다시 장거리 소풍을 가는 것처럼 투이호아를 향해 이동하는데 해안이 끝나면서 큰 산악이 앞을 가로 막았다. 간이역이 있는 마을 앞 철로에는 불과 몇 시간 전에 베트콩들에게 당한 기관차와 객차가 넘어져 불에 타고 있다. 일단은 경계를 하면서도 병사들은 비슷한 광경을 늘 보았기 때문에 대수롭지 않다는 표정들이다. 우리는 차량들을 세우고 경계를 하면서 마을로 들어갔다. 우리가 온 것을 보고 몰려나온 어린아이들과 주민들에게 C-레이션을 나누어 주면서 야자수를 먹고 싶다고 했더니 높은 나무에 달린 열매를 총으로 쏴서 따먹으라는 것이다.

선임하사관과 고참병들이 M16을 냅다 쏘아 올려 야자수열매를 몽땅 떨어 뜨렸다. 온수가 되어버린 수통의 물 대신 시원한 야자수액을 양껏 마시고 몇 개씩을 챙긴 다음 대관령 같은 험준한 바위산 길에 접어들었다. 모퉁이를 돌 때마다 베트콩이 수류탄을 던지며 기습을 해올 것 같아 등에 식은땀이 흐른다. 이때 갑자기 총성이 울리기 시작하여 꼼짝없이 당했구나 싶어 순간적으로 고국에 두고 온 아내와 첫아이의 모습을 떠올렸다. 사람은 극한 상황에 이르면 오히려 차분해 지고 중요한 일들을 생각하게 되는가 싶었다. 내 지프차에서도 기관총이 발사되면서 커브를 도는데 아군의 헬기가 기총사격을 해대는 게 보였다. 내 뒤로 오리새끼들처럼 따라오고 있는 부하들의 차량을 돌아보고 있는 중인데 토인 같이 새까만 모습의 아군 보병들이 불쑥 튀어나왔다. 중사가 경례를 하며 "베트콩이 출몰했다는 무전을 받고 호송을 위한 작전이 펼쳐지고 있습니다." 라는 것이다.

전쟁터의 긴박성을 뼈저리게 느끼면서 전 차량이 무사하게 목적지에 도착했다.

백마부대와 맹호부대가 합동으로 미 공군의 폭격과 함포사격을 지원받으면서 작전을 전개하고 있는 현장이었다. 우리가 실어온 물건들은 작전을 하는데 긴요한 물품들이어서 부대지휘관로부터 감사하다는 인사를 받고 그쪽 부대원들에 의해 신속하게 하역이 이루어졌다. 하지만 날이 어두워 1박을 하고 보니 지형이 미국 서부영화에서 보았던 것과 비슷한 지대였다. 아리조나의 산간처럼 바위가 많고 키가 엄청 큰 선인장들이 땡볕 아래 열기를 식히는 기구들처럼 보였다.

초기에 한국군이나 미군들이 작전 중 선인장 지대로 몰렸다가 큰 피해를 봤고 대나무밭에 들어갔다가 크게 낭패를 당했다는 것이다. 베트남의 대나무는 밖에서 보기와는 다르게 가지가 많이 뻗어있고 예리하고 긴 가시가 촘촘히 나아 있다. 그런 대나무 밭에 들어가 빨리 움직이려다가 이리 찔리고 저리 찔려서 다치고 정신을 차릴 수가 없게 되어 자멸지경에 빠지게 된 것이다.

내가 베트남에서 돌아 온지도 어연 반세기가 다 됐다. 6·25와 베트남전으로 인해 생긴 트라우마 때문에 의식적으로 먼 곳에 있는 낯설고 높은 산을 늘 찾아 오르게 된다. 항상 적이 나타날까봐 탐색을 하면서 계절과 웬만한 기후에 상관없이 산행을 하다가 배가 고프고 때가 되면

빵이나 도시락을 먹으며 베트남을 떠올린다.

　전쟁을 치른 세대들이 고령으로 사라져 가고 있다. 나도 그 대열지만 아직은 전쟁이 끝나지 않은 상황이라 C-레이션처럼 살아야 하겠다.

알타이 산 가는 길

글,사진 **심 명 숙**
(시인)

1, 춤을 춘다. 사막의 빗속에서

　몽골의 수도 울란바트로(Ulaanbaator)에서 서부 쪽을 향해 바람이 쉴 새 없이 부는 초원과 사막을 달렸다. 태양을 쫓아 바람을 뚫고 비를 맞으며 별빛 속에서 독한 몽환을 체험하며 알타이 산(Altai mountain)을 찾아가는 길에서 4박은 서쪽 끝, 러시아 접경지역 중심인 홉드(Khovd)에서 했다. 홉드는 몽골에서 비교적 큰 도시로 市단의 지역이다. 서부 몽골 지역 중 문화, 경제가 가장 활발한 곳이며, 우리는 그 곳에서 몽골 문화와 러시아문화가 공존하는 유희의 밤을 즐겼다.

　고미술연구자인 교수님의 안내를 받으며 누구나 쉽게 갈수 없다는 오지 길을 선택했다. 달리다 멈추게 되면 유목민을 찾아 길을 묻고, 사는 모습을 들여다보며 그렇게 알타이산맥을 찾아 달렸다. 푸르던 초원에 어느새 스산한 바람결이 양떼를 모는 양치기 채찍으로 달린다.

고고학적으로 비밀을 풀어야 할 옛 돌무지덤 옆에는 바람에 지친 풀꽃들이 참 예쁘게 누워 있다. 초원을 탐닉하는 보랏빛 허브향기는 푸르게 피웠다가, 야박한 땡볕으로 따끔하게 쏟아져 모래 바람이 된다. 모래바람은 저만치 신기루를 넘는 낙타의 넓적한 발에 밟히는 수난이 왠지 기이한 즐거움이다.

몽골 국토의 약 1/3이 덮여있는 반건조 지대인 고비사막에는 나무가 없고 모래보다 돌이 많다. 360도 돌아봐도 모두 똑같은 허허로 잿빛이다. 저 황량한 벌판을 달리는 야생마의 힘찬 갈기의 소망처럼, 깊이깊이 빠져 들어가는 고비사막, '사막은 일렁이는 대해(大海)'라고 한다. 신기루가 일렁이는 고독한 적막의 운치는 더욱 진정한 사막세계를 꾸며준다.

오후를 막 넘어가는 시간쯤 게르 몇 채로 이루어진 마을에 오랜 세월 풍화된 암갈색 바위산이 있었다. '위스킨 톨고이'라는 조금 높이 솟은 산 아래 도착했다. K교수 말에 의하면 '신석기' 대표유적지 중에 한 곳이라고 한다. 우리는 호기심과 궁금증에 산위로 빠르게 올라갔다. "암각화다." 벽화처럼 그려져 있는 동물들의 그림, 특히 멸절의 동물인 '들소' 그림이 오래된 유적지로 추정한다는 것이다.

약 1만 년 전에 시작된 新石器時代에 양치기가 그렸다는 그림, 신석기는 돌을 갈아서 정교하게 만든 기구(석기)를 사용하여 사냥을 하고 (수렵용의 돌살촉), 물건을 만들고 집(움막)을 짓는데 최고의 연장이었으며, 농사짓는 도구나 생활 기구로 쓰였던 시대의 부류를 조금은 알 수 있었다. 이런 시대의 그림도구는 돌이였다. 돌로 쪼아서 그린 양치기의 그림솜씨도 좋지만, 오랜 세월 이 문화를 지켜준 태양신과 바람신의 보

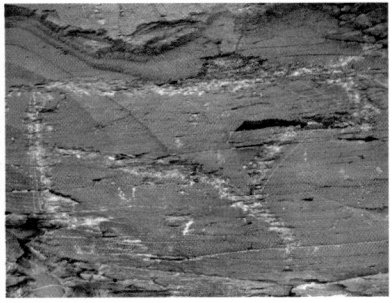

살림에 감사한 일이다. 또한, 한 사람의 그림만 그려져 있는 것으로 보아 소중하고 신성한 곳이라 한다. 그러나 소중한 유적을 훼손하면서 지역의 편리를 위해 전봇대가 우뚝 서있다. 안타깝다는 마음을 매질이라도 하듯, 메뚜기만한 모기떼들이 새까맣게 달려들어 두꺼운 옷도 아랑곳하지 않고 마구 찔러댔다.

정상에 오르니 사방이 확! 트여 양치기에 아주 좋은 곳 같았다. 어떻게 알았는지 원주민 관리자 서너명이 내려오라는 손짓하며 뛰어왔다. 우리는 세워져 있는 전봇대가 안 좋다는 뜻의 동작 표현하며 돌아섰다.

8월의 햇볕에 타고 있는 사막에서 어렵지 않게 볼 수 있는 짐승들의 백골, 먹고 먹히는 생존 본능이 치열하고 척박한 환경을 살아가는 생명체들의 헐떡이는 숨소리가 들린다. 그것은 깊이 도사리고 있는 내성(耐性)의 버릇 같은 것일지도 모른다.

태양과 바람뿐인 광야에서 오직, 사색은 지구의 괴도를 돌며 끝이 없을 때, 시야가 희뿌연 베일에 사로잡히는 듯 했다. "아뿔싸!" 갑자기 사막의 적막이 살아 움직이듯 우리 앞으로 검은 먹구름이 진격해 왔다. 하늘을 찌르는 칭기즈칸의 벼락같은 호령소리에 흩어졌던 부족들이 몰려들듯 와르르 소나기가 쏟아졌다. 소나기는 우리의 시간을 삽시간에 지워버리고, 자동차는 잠시 멈췄다.

이것이야말로 사전준비 없는 전쟁이다. 자연 앞에서는 그 무엇도, 그

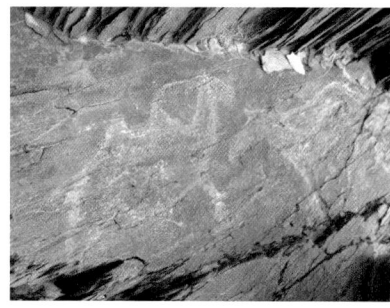 

누구도 자만해서는 안 된다는 진리의 교과서이다.

변덕스런 대륙성 기후답게 사막 한가운데 서있는 인간을 자연 앞에서 당황스럽게 만들었다. 그래도 자연이 나에게 주는 이러한 상황의미를 한바탕 춤으로 대응하리라.

"춤을 추리라. 사막의 모래위에서
윤슬에 떨다 한낮에 핀 야생화처럼
광야가 붉어지도록 원색 춤을 추리라

춤을 추리라. 사막의 빗속에서
누런 땟물 슬렁슬렁 씻어버리고
뽀얀 알몸에 선연한 血이 돌도록 춤을 추리라

나는 춤을 춘다. 고비사막 바람 속에서
백골이 벗어놓은 은은한 베일을 쓰고
관능의 춤을 처연하게 춘다.

한바탕 꿈인 듯, 눈물겹도록 황량한 대지에 소나기 물결너머에서 피어오르는 빛의 존재, 몸서리치도록 황홀한 광경이었다. 너무나 밝은 빛살이 날카롭게 쏘아 보았다. 무엇을 들킨 듯 쑥스러웠다. 괜히 주눅이

들어 꼼작 못하는 나는 한 알의 모래와 같았다.

길이 없으면 길을 만들면서 도착한 사막은 태양에 뜨겁게 달궈졌던 지열이 조금은 식은 듯 했다. 지나가는 소나기에 한숨 돌린 송장메뚜기 자지러지는 울음이 황금빛으로 물들었다. 그 얼마나 맑은 울음이었는지, 모래 위 짐승의 하얀 백골이 선연한 빛으로 살아나는 듯 했다. 바람이 한결 상큼했다. 어디까지 왔는지 알 수 없고, 또 얼마나 가야하는지 알 수 없는 길에 서서 바라본 쪽빛 하늘아래 저만치 하얀 설산(雪山)이 빛났다. 그러나 그 설산을 가려면 4~5일은 걸린다고 한다.

배고픔이나 모래바람을 뒤집어쓴 몰골에는 아무도 신경 쓰지 않았다. 편한 잠을 못자고, 피부가 마르고, 끼니를 걸러도 매료되는 어떤 힘은 메마르고 황량한 대평원이 신천지였다.

황금벌판 달리다 갑자기 눈이 펑펑 내리는 산을 넘으며 추위에 떨기도 했다. 사막에서 살아가기 위한 생존규율을 지키고 가르치는 스승인, 바람신의 탓이려니! 전율이 느껴지는 야생마들의 강한 지구력 같은 힘으로 오워(성황당) 앞에 무사기도를 하면서 봄, 여름, 가을, 겨울 빛의 광합성(光合成) 에너지 속도를 최대한 늦추며 사계(四季)를 거쳐 지나왔다. GPS가 방향을 잃으면 오직 현지운전기사의 감각만 믿고 달리는 길에는 사막여우가 뛰어 놀았다. 황량한 오지를 바쁘게 달리다 구름이 타

는 듯 붉은 노을빛에 눈이 부시면, 태양이 낙타의 등을 타고 간 방향이
서쪽이었던 것을 알았다.

어느 철학자가 말했다. '낙타는 허무주의(虛無主義)를 상징하는 사막
에서 무거운 짐을 진 채 순종하는 정신을 가리킨다.'고 하였다. 거친 땅
에게 순종하며 살아가는 유목민의 정서로 배어있는 허무주의까지 등
에 지고 걷는 낙타의 운명은 언제나 사막역사의 서막을 열어준다.

낙타가 꼬리를 터는 해거름은 대부분 저녁 9시가 넘어서 끝났다. 피
곤함으로 허름한 게르(전통가옥)에 찾아 든 5일째 밤은 고비알타이마을
이었다.

몽골의 수도 울란바트로에서 약 1,000km가 훨씬 넘게 달려온 고
비알타이는 고비사막과 알타이 산맥에서 유래된 이름이다.

알타이 산은 몽골과 중국, 러시아와 카자흐스탄에 걸친 거대 산맥이
다. 몽골 알타이 산은 카자흐스탄과 연결되어 있고, 서부쪽 고비알타이
주가 주도한다. 몽골사람들도 직접 가보기 어렵다는 알타이 산은 실제
로 금이 많이 매장되어있다. 알타이는 금을 뜻하며, 금은 태양, 빛, 하
늘을 의미로 이들이 믿는 우주의 절대적인 신이다. 자연을 의지하며 경
이로운 태양이 있는 하늘을 숭배하는 경천사상(敬天思想)의 민족으로
보인다.

밤새 게르의 차디찬 바닥에서 웅크렸던 몸을 두 팔 벌려 상쾌한 아침 공기로 풀었다. 지구상에 티끌하나 없을 만큼 맑은 날씨였다. 사방으로 굽이치는 민둥산에 아침 햇살이 빛났다. "채색이 완연한 태초의 유산인가! 참 감개무량하다."

차츰 알타이 산맥의 기운에 이끌렸다. 여러 종류의 동물과 식물들이 서식하고 있는 자연의 근원지이며, 유목민의 고향이다. 알타이는 길이가 약 2,000Km이고, 높이는 4,000km가 넘는 금산에서 흐르는 물이 수천(약 3,500)개의 호수를 만든다고 한다. 그중 고비알타이에 있는 강들은 다른 강들에 비해 길이가 짧고 너비가 좁으며, 겨울에는 물이 얼때고 있고, 여름에는 물이 마르기도 한다고 한다.

물은 생존의 우선순위이다. 때문에 물이 있는 강 하류에 모여 사는 알타이 인들의 생명수는 태고(太古)적 샘에서 흘러내려온다. 이러한 신성한 샘에 손이나 발을 씻으면 안 된다고 한다. 나는 계율을 어기면서 투명한 물에 손을 담그자 소름끼치도록 차가웠다.

지켜야 할 것은 지키며, 내가 보게 될 어떤 광경에 대한 호기심과 흥

분마저 경건하자는 다짐을 했다.

계곡으로 들어가는 거친 돌길은 그들이 살아온 유구한 역사를 쉽게 내어주지 않았다. 외부 인들은 접근이 어렵다는 성산(聖山)앞에서 우리도 좌절의 위기에 놓였다.

협곡이 깨지는 듯한 말의 울음소리에 우리는 놀랐다. 채찍이 매섭게 철썩 달라붙자 말의 카랑한 울음소리가 날아오듯 우리 앞에 거인적 모습으로 나타났다. 국립공원이자 유적지를 지키는 알타이의 후손이었다. 강한 자만이 살아날 수 있다는 엄격한 알타이 산의 전설을 하늘의 제왕이라는 검독수리까지 레이저를 쏘며 머리 위로 빙빙 돌고 있다. 막연하게 우리 길을 막고 있는 그에게 얼마만큼의 세금을 지불하고, 거대한 산을 다스리는 강자들 앞에서 벗어났다. 그래도 몇 날을 지치게 버티던 자동차는 힘차게 바위 돌을 뛰어 넘어 주었다.

전형적인 대륙성 기후의 8월 끝자락 기색이 사각사각한 협곡은 세월의 역사를 푸지게 품고 있었다. 우리는 그 고품의 적막 속으로 들어갔다. 협곡으로 들어 갈수록 하늘은 작아지고 물감을 뿌려 놓은 듯한 황금빛 초지를 스치는 야릇함에 가슴이 뛴다. 차츰 풍화작용으로 노출된 암석(巖石)들이 리얼리티(reality)하게 눈앞에서 펼쳐지고 있다. 나는 天命을 받고 행하는 순례자처럼 행복했다.

계속……

수원 화성궁의 교훈

글,사진 **심명숙**
(시인)

우리의 아름다운 산천, 정조대왕의 정치이념과 효의 교훈이 남아있는 유산이 있어 더욱 아름다운 우리의 산천에 자랑스러운 유산을 받들어 살피는 '봉심(奉審)'의 시간을 갖게 되어 행복했다.

수원 팔달산 아래 그리 크지도 화려하지도 않은 화성행궁이 있다. 조선 최고 지형지세인 명당이라 하는 이곳은 정조 왕이 아버지 사도세자의 묘를 수원으로 옮기면서 축조한 조선 성곽 건축의 꽃이며, 1963년 사적 3호로 지정, 1997년 유네스코 세계문화유산으로 등록되었다.

조선의 22대 왕 정조(正祖 1752~1800)는 할아버지 영조의 명에 의해 뒤주에 갇혀 죽은 사도세자의 아들이다. 11세에 아버지 사도세자가 재위 13년(1789년 10월 7일) 만에 당쟁에 휘말려 왕위에 오르지도 못하고 뒤주 속에서 젊은 생을 비참하게 마친 후, 할아버지인 영조에 의해 요절한 효장세자의 아들로 입적되어 왕위를 계승하였다.

끔직한 당파싸움에 희생되는 아버지를 보고 자란 정조는 특정 정파에 의한 정치 독점을 막고, 의 새로운 정치를 펼쳐 조선을 개혁하고자 재위 기간 중 왕권 강화를 위한 노력에 치중한 왕으로 알려져 있다.

어린 나이에 아버지가 갇혀있는 뒤주로 물 한 대접을 들고 다가서며 떨던 정조대왕의 얼이 느껴지는 댓돌에 앉아 성군의 효심을 생각해 본다. 아버지(사도세자)의 원침을 양주 배봉산에서 수원화산으로 천봉하게 된다. 18세기 후반 조선왕조 제22대 정조대왕, 백성을 사랑하고, 수신제가(修身齊家)의 정도가 완벽한 효심이 쌓아올린 화성, 백성들 마음과 높고 웅장한 성곽에 역사로 길이 빛내고 있었다.

나는 백성의 한사람으로 백성의 나라, 강도 있는 왕도정치개혁을 하고자 고뇌했던 정조대왕이 못다 이룬 아쉬운 꿈을 생각하며 화성열차를 타고 높은 위치인 서장대 쪽으로 올랐다. 등선을 조금 올라 '서남암문'을 통과해 화성 방어를 위한 군사적 요충지로서의 구실을 하게 하였다는 '화양루(화성 남쪽 산에 있는 각루)'로 가는 성곽 길로 들어섰다. 쭉 뻗은 용도(甬道)에는 그야말로 푸른 솔이 늙어~늙어가고 있었다.

때마침 까마귀 날아와 울어댄다. 옛이야기 밀려오는지? 탕평책을 두

루 살폈을 것 같은 老松은 애민정신, 세계관을 연장하며 오늘도 떠난 선구자가 그리워 몸부림친다. 오늘따라 마냥 부드럽기만 한 훈풍에 물들어 성벽위로 붉게 선 깃발, 서얼과 노비의 인간 존재로서 자존심이 살아났던 추억을 회상하며 춤을 추고 있다.

성곽을 따라 성벽과 나란히 걸었다. 건축기술이 뛰어난 군사적 방어기능과 상업적 기능을 함께 보유하고 있으며 실용적인 구조는 동양 성곽의 백미로 평가받고 있다고 한다.

궁을 지키기 위해 설치한 여러 가지 용도들을 해설가님의 설명으로 선조들의 지혜와 명석함에 감탄할 수밖에 없었다. 이렇듯 대역사(役事)인 수원화성은 실학사상이 만들어낸 표본이다. 누구나 잘 알고 있듯이 실학을 집대성한 '다산 정약용'을 말하지 않을 수 없다. 동서의 기술서를 참고하여 만든 지침서로 하여금 최신 서양식 공법을 이용한 거중기와 백성의 힘으로 짧은 기간(1794년 1월 착공, 1796년 9월 준공)에 길이 5,52km, 높이 약 5m되는 성곽을 쌓아 올렸다.

적이나 주위의 동정을 살피기 위하여 지은 망루로 사용한 '공심도(空心墩)'는 적으로서는 화살이나 총탄이 어느 곳에서부터 날아오는지를 모르게 되어 있다라고 설명한다. 또한 장대(將臺)는 서장대(西將臺)와 동장대(東將臺) 두 곳이 있는데, 성곽 일대를 조망하면서 군사들을 지휘하던 일종의 지휘소 같은 곳이라 한다. 이어 각루(角樓)는 주위를 감시하는 용도로 4곳에 설치되어 있다.

여러 기능들이 완벽한 이런 성곽을 따라 걷다보면 바깥쪽으로 네모나게 돌출된 부분이 있다. 이것이 '치'(雉城)라 한다. 성벽으로 기어오르는 적을 3면에서 공격 할 수 있도록 설계한 것이고, 따라서 모든 방어 시설물의 기본이 된다고 한다. 포루(砲樓)등등, 적을 막기 위해 용도에 따라 과학적으로 설계한 짜임새는 정말 '받들어 살피지' 않을 수 없었다.

백성의 나라를 만들기 위해 개혁치국(治國)을 꿈꿨던 정조대왕의 기

를 받으며 발걸음이 가볍고, 마음도 즐거웠다. 성벽으로 길게 뻗은 솔가지와 조화를 이룬 담장이 모자이크처럼 정교하게 점철되어 빛에 반사되고 있었다. 그 성벽에는
유난히 돌출된 검은 색의 자그마한 돌들이 가락이 흐르듯 곡선을 두르고 있는 것은 '눈섭돌(楣石)'이라 한다. 미석(楣石)은 처마 역할로 성벽을 보호하기 위하여 빗물이 땅으로 떨어지도록 한 것이다. 그만큼 앞날을 관망하고, 재산을 소중하게 여긴 지혜를 생각하니, 속담 한 구절이 생각난다. '돌 뚫는 화살은 없어도 돌파는 낙수(落水)는 있다.' 이처럼 꾸준하게 최대노력의 결과물인 아름답고 자랑스러운 유산을 받들어 살피는 '봉심(奉審)'의 시간을 갖게 되어 행복했다.

미석(楣石)은 "효 사상의 인연의 美, 정치사상의 공간적 美, 자연사상의 시간적 美"로 건설된 실학의 결정체인 한부분이다. 500년 조선왕조사에 어느 임금보다 파란만장한 인생을 살았던 정조대왕, 열린 생각과 민주적인 방법으로 백성을 포용 하려했던 현군이다. 성벽 돌 틈 사이에 뿌리내리고 환하게 핀 들꽃들의 미소를 받으며 성밖 길을 돌아 將臺(서장대)에 올랐다. 팔달산 정상에 자리 잡고 있는 서장대에서 내려다보는 화성성곽은 어디선가 보았던 정조대왕의 말처럼 자연스럽고 고요함을 틀고 앉아있다. '성을 쌓는데 중요한 것은 형편에 따라서 기초를 정하되 둥글거나 모나게 하지 말며, 보기에 아름답게 꾸미지도 말고 이로움과 자연형세에 따라 하라.'라고 말했다. 그렇다, 성곽을 돌다보면 지형이 살아 있음을 느낄 수 있고, 벽(壁) 모퉁이 귀퉁이에도 모난 데가 없다. 또한 성곽에는 세상을 보는 눈이 있고, 백성들의 말을 듣는 귀가 있어, 대답하는 입이 있는 정조대왕의 조선이었다.

그 조선 땅 동쪽으로 나있는 성곽 길을 태연하게 걷다 본, 노란 송학가루 풍경이고, 시인의 서정적인 마음이다. 조선 역사의 땅을 돌아 동쪽기슭에 한 송이 꽃처럼 피어있는 정자에 올랐다.

방화수류정(訪花隨柳亭)

화홍문(華虹門)을 지나 동북각루 작은 언덕위에 핀 꽃이다. '방화수류정'란 예쁜 이름은 중국시인 정명도(程明道)의 시(詩) "운담풍경오천(雲淡風經午天), 방화류과전천(訪花隨柳過前川)"에서 따왔다고 한다.

정조 18년 10월에 완공된 정자는 18세기 뛰어나고 독특한 건축기술로 역사의 학술적, 예술적 가치를 높이 평가하는 보물이다.

주로 군사 초소로 사용했다 하기에는 믿기 어려운 독창적이고 아름다움은 정조의 정자 예찬이다.

동쪽 옛 각루, 무지개 문 열고 언덕 오르니
사뿐히 않은 단아하고 밝은 자태 곱다.
'꽃을 쫓고 버드나무를 따라가는 아름다운 정자'라
구름위에 앉은 기분, 봄바람 타는 듯 흘러 들어온다.
정조 활살에 맞아 용연(龍淵)에 떨어진 꽃잎
뿌리내려 어느덧 자란 나무에 다시 피었다 떨어지는 풍광을
돌아섰으면 어찌 할 뻔했나!

헤어나지 못하고 연연해해야만 했을 벅참이 다행인 것은
비 오는 날이 아니라서 다행이고…
달 밝은 밤이 아니라서 더욱 다행이지만,
흰 구름도 즐거워하는 아름다움을 영원히 누릴 수 없어
슬펐던 임금의 마음이 내 마음이다.

이민홍

오흥범

사진 김광덕
솔제니친 동상

제2부

인문학 여행

용과의 대화

글 **이 민 홍**
(교수, 인문학자)

1

용은 상상의 동물로 구름을 타고 비를 내려 창생을 구제한다. 구름은 용을, 바람은 범을 좇는다고 했다. 용은 동양뿐만 아니라 서양에도 있다. 동양의 용은 길상(吉祥)을 상징하지만, 서양의 용은 부정적인 요인이 더 많다. 용은 권력의 상징이다. 임금님의 자리를 용상이라 일컫는 것이 대표적이다. 용이 인간이 만든 상상의 동물인지, 아니면 고대에 실존했던 동물인지는 단정키 어려우나, 시대가 흘러갈수록 점점 더 위엄과 권위적인 요소가 첨가되고 미학적으로 장엄되었다.

용은 12지(支)중 진(辰)이고 고갑자(古甲子)는 '집서(執徐)'이다. 십간 (十干)에도 고갑자가 있지만, 그 함의가 무엇인지 알 수 없다. 일상생활 중 많은 꿈을 꾸지만, 그 중에 용꿈을 최고로 친다. 태몽으로서의 용꿈은 귀자를 낳는 것으로 되어 있고, 유명한 인물은 거의가 용꿈을 꾸고 잉태했다고 전해진다. 서울의 인왕산도 좌청룡으로 풍수학에서도 용은 큰 비중을 차지하고 있다.

'사령(四靈)'이란 말이 있는데, 동물 중에 네 가지의 신령스런 영물을 지칭했다. '거북·용·봉황·기린(麒麟)'이 그것이다. 이들 네 영물의 특성을 두고, 용은 변화를 관장하고, 봉황은 정치의 치세(治世)와 난세(亂世)를 주도하고, 거북은 일상의 길흉을 예측하는 능력을 지녔고, 기린은 인(仁)과 덕(德)을 상징하는 것으로 인식했다. 거북은 장수의 동물로서, 천년을 살아야 길흉을 예단할 능력을 가질 수 있고, 천이백년을 살면 천지의 시종을 점칠 수 있다고 했다. '용·봉황·거북·기린'을 오행(五行)과 결부시켜 용은 수(水), 기린은 화(火), 봉은 목(木), 거북은 금(金)으로 상정했다. '사령'에다 범(虎)을 첨가하여 '오령(五靈)'으로 지칭하기도 했다.

범은 오행 중 토(土)에 배정하고, 이를 기준하여 사령을 사방(四方)의 방위에 배치했으며, 사령을 '사신(四神)'으로 호칭하기도 한다. 사신 중에 거북을 뱀(蛇)으로 대체하여 현무(玄武)로, 봉은 주조(朱鳥)로 환치하기도 했다. 소위 오령 중 범이 중앙을 차지하여 토(土)로 상징된 것은, 범이 통시적으로 중시되었음을 뜻한다.

고대에는 '동·서·남·북·중앙' 등의 방위를 동물이나 색채로 표시했다. 이는 문자가 발명되기 전 구상적인 동물과 시각적인 색채로 대신

했음을 의미한다. '좌청룡(左靑龍)·우백호(右白虎)·남주작(南朱雀)·북현
무(北玄武)' 중 '청색·백색·적색·흑색' 등이 그것이다.

범을 토에 배정하여 중앙에 놓은 것은, 범이 대지를 주관한다는 의
미이다. 중앙은 황색이다. 중국 북경 자금성(紫禁城)의 기와는 황색이고,
이는 세계의 중심임을 뜻한다. 따라서 동서남북에 위치한 주변의 사이
(四夷)는 모두 중앙(중국)의 울타리로서 역할 해야 함을 강조한 것이다.
우리나라 대통령 관저를 '청와대(靑瓦臺)'라 명명한 것은, 스스로가 동
쪽 변방임을 은연 중 자인했다고 해도 할 말이 없다.

대통령을 '각하'라는 최고 호칭을 사용한다고 논란이 많았는데 이는
무식의 소치이다. 천자를 비롯한 신료들의 호칭에 천자(天子)를 폐하(陛
下), 제후 왕(諸侯 王)을 전하(殿下), 세자(世子)를 저하(邸下), 대신(大臣)을
각하(閣下), 장신(將臣)을 휘하 막하(麾下·幕下), 사자(使者)를 절하 대하
(節下·臺下), 동배(同輩)를 족하(足下) 등이 있다. 말썽 많은 '각하'는 대
신 직급에 대한 호칭에 불과한데도 불구하고, 우리는 부끄러운 줄도 모
르고 소란을 피웠고, 지금도 떨고 있다. 또 '청와대'로 명명할 당시 동
아시아의 예악적인 사유에 식견이 있었다면, 이 같은 이름을 붙이지 않
았을 것이다.

용의 경우도 황룡(黃龍)은 중심에 위치한 것으로 곤룡포에도 황룡
이 수놓아져 있다. 경주에 삼한통합을 기념하여 축조된 구층탑과 황룡
사(皇龍寺)가 있다. 필자는 삼한통합의 위업을 이룩한 신라가 세계의 중
심임을 인식하고 응당 '황룡사(黃龍寺)' 일 것으로 알았지만, 나중에 황
(黃)이 아니고 황(皇)임을 확인한 뒤 실망한 기억이 새롭다. 당시에도
'황룡(黃龍)'이라는 용어를 사용할 수 없었기 때문일까.

우리나라 왕의 곤룡포에 수놓은 용의 발톱은, 고종황제와 순종황제
를 제외하고 모두 다섯 개가 아니고 네 개다. 만일 다섯 개였다면 그것
은 당시 동아시아 질서를 위배한 것으로, 외교적 마찰이 심각했을 것이

다. 신륵사 경내에 조각된 용의 발톱이 다섯 개였기 때문에, 중국 측으로부터 항의를 받았다는 전언도 있다. 용의 발톱은 위계에 따라 황제는 다섯 개, 제후왕은 네 개였으며, 각급 작위에 따라 세 개, 두 개 등으로 가감되었는데, 이는 당대에 거역할 수 없는 불문율이었다.

2

중국에는 등용문(登龍門)이라는 지명이 여러 곳에 있다. 등용문의 원조는 황하 상류 급류지역이다. 『삼진기(三秦記)』에 "강해(江海)의 모든 고기들이 용문 아래 모여, 쏟아지는 급류를 뛰어올라 상류로 오르면 용이 되고, 오르지 못하면 이마에 점하나가 찍힌 채 낙오가 된다고 했다. 세상에서 이 전설로 인하여 용문은 명망을 얻어 고위직에 오르는 것을 의미했다"고 했다. 『주역(周易)』에도 '잠룡(潛龍)·항룡(亢龍)·비룡(飛龍)' 등이 등장하는 것으로 보아, 용은 중세를 거슬러 고대에도 중요한 영물로 취급되었다.

구름은 용을 따르고, 바람은 범을 쫓는다고 했다. 용은 그러므로 구름과 비를 뿌리고, 범은 바람을 일으킨다고 했다. 청천 하늘에는 용이 없고 항상 풍우가 몰아치고 구름이 일어나야 용은 움직인다. 속설에 용띠의 사람은 운우를 몰고 다닌다는 말은 여기에 기인했다. 창용(蒼龍)은 청룡이다. 창용은 춘분(春分)에 하늘로 날아올라, 추분(秋分)에 연못에 들어간다고 한다. 이 역시 용은 깊은 연못에 깃들고 있음을 말한다. 산야 곳곳에 용연(龍淵)이나 용추(龍湫)가 산재하는 이유도 여기에 있다.

용은 사령 가운데 가장 신령스러운 영물이며 또 그 우두머리이다. 속전에 용의 종류는 매우 많다. 비늘이 있는 것은 교룡(蛟龍)이고, 날개가 달린 것은 응룡(應龍), 뿔이 있는 것은 규룡(虯龍), 뿔이 없는 것은 이룡(螭龍)이라 하고, 승천하지 못한 것은 반룡(蟠龍), 물을 특히 좋아하는 것은 청룡(蜻龍), 불을 좋아하는 것을 화룡(火龍), 소리 지르길 좋아하는 것을 명룡(鳴龍), 싸우길 즐겨하는 것은 석룡(蜥龍)이라 칭했다. 용의 종류가 이처럼 많은 까닭은 과거 선인들이 용을 얼마나 외경했는지를 실감케 하는 자료이다. 이들 용중에서 '규룡'을 수장으로 규정했다. 규룡은 뿔이 있다. 고서화나 조각들에 접하는 대부분의 용이 뿔이 있는 까닭도 이에 말미암았다.

『환용경(口龍經, 환용 씨는 순 임금 시 용을 기르고 길들인 인물)』에 의하면 용의 우두머리인 규룡은 육지에서 호랑이와 표범을 먹고, 수중에서는 교룡(蛟龍)을 먹는다고 했다. 『시경』에는 교룡이 그려진 깃발을 단 수레에 공물을 싣고 오거나, 의기양양하게 수레를 어거한다는 기록이 여러 차례 나온다. 교룡은 시대에 따라 위상의 차이가 있었지만, 비늘이 달린 용임은 같았다. 또 뿔이 없는 이룡(螭龍)은 사특함을 배제하고 사악을 없애는 역할을 했다. 구름은 용이 기를 뿜어서 만든다고 했다.

『용경(龍經)』에 기룡(夔龍)은 모든 용 가운데 중심으로, 먹이를 먹는데도 절도가 있고, 더러운 곳에 놀지 않으며, 불결한 물도 마시지 않고, 청결한 물에만 노닌다고 했다. 기룡은 규룡의 일종이다. 각 종의 도안 가운데 규룡과 교룡이 가장 많이 등장한다. 이들 두 용이 여의주를 중간에 두고 희롱하는 그림을 '이룡희주(二龍戲珠)'라 하여 잡기와 가구 탁자의 다리, 문기둥에 거는 등불 등에 널리 사용된다. 기룡은 용을 단순화시켜 구슬과 배합하여 '건축·가구·잡기·의복' 등의 도안으로 널리 사용된다. '이룡희주'의 두 용은 규룡 교룡이지만, 때로는 아버지용과 아들용으로 배치되어, 창용이 아들용을 교육시킨다는 의미도 있다.

잉어가 등용문을 통과하여 용이 된다는 전설은, 여러 문헌에 세월이 흘러갈수록 첨가되었다. 등용문 설화도 입신출세와 연계되어, 부모들이 아들의 과거 합격을 거쳐 고위직으로의 진출을 소망하는 염원과 어울

려 절실한 이야기로 각색되고 미화되었다. 잉어가 어찌하여 용과 접맥 되었는지는 알 수가 없지만 물고기 중 크고 아름다운 자태를 가진 것과 연관이 있을 것이다. 잉어 그림은 과거급제를 바라는 의미가 있다.

전설에 의하면 360 또는 3,600마리의 잉어가 황하를 거슬러 올라 문산 아래에 도착하여, 이들 중에서 가장 용감하고 신령성을 갖춘 단 한 마리만 용문의 급류를 통과하는데, 뛰어오른 잉어의 잇몸 아래 36 매의 비늘이 역으로 돋아나고, 이어서 몸을 흔들어 용으로 화한다고 했다. 만일 외부의 어떤 사물이 용의 그 역린을 건드리면 즉시 분쇄 당한다고 했다. 권력자의 역린(逆鱗)을 저촉해서 안 된다는 사회적 통념도 여기에서 비롯되었다

3

용문에서 급류를 뛰어넘지 못한 잉어들은 뺨에 흑점 하나가 찍혀서 내려와 일 년 동안 재 시도를 못한다. 이 같은 용문(龍門)의 화룡(化龍)

전고는, 후세 대과급제에 비유되었으며 과거 응시자를 점액(點額)에 대비한 것도 여기에 연유했다. 『수경주(水經注)』에 잉어들이 3월에 용문에 도착하여 격류를 뛰어오른 것은 용이 되고, 오르지 못한 잉어들은 뺨에 점하나가 찍혀 돌아온다는 기록도 있으며, 그 시기를 3월로 잡은 것도 의미가 있을 것이다. 용에 얽힌 이야기 가운데 흥미를 끄는 것도 많다. 그 중에 용이 구름 속에서 학과 사랑을 나누어 봉황을 낳고, 땅에서 암컷 말과 교합하여 기린을 생산했다는 전설도 있다.

용의 천변만화(千變萬化)는 무궁무진하여 인간이 망령되이 억측을 하기가 어렵다고 했다. 용과 학이 사랑하여 봉황이 태어났고, 용과 암말이 교합하여 기린이 탄생했다는 것은, 봉황이 용과 학의 특성을 지녔으며, 용과 말의 모습을 기린이 갖고 있음을 암시한 것이다. 용은 문헌에 따라 알을 낳는다는 설과 새끼를 낳는다는 상반된 주장이 있고, 사신(四神) 가운데 북 현무(뱀과 유사하다)가 시대에 진행에 따라 다양한 동물의 형상이 첨가되어, 현재 우리가 알고 있는 용의 모습으로 변모했다는 견해도 있다. 또 고대 원시부족들의 그들이 숭앙하는 동물 토템을 전부 조합하여 만들어졌다는 견해도 있다. 이는 각 부족을 정치적으로 통합하기 위한 전략적 의도가 작용한 것으로 해석했다.

'현무'는 뱀의 형상을 하고 있으며 그 방위는 북방이다. 중국의 경우, 용은 북방과 연관이 있다. 용은 구름을 만들어 비를 내리게 한다. 황하 유역은 비가 적은 편이어서, 농경생활에 비를 바라는 마음이 간절했기 때문에, 용에 대한 숭배가 자연스럽게 형성되었다. 반면 비가 많은 남방 지역은 운우와 관련된 용이 달가운 존재는 아니었다. 『회남자(淮南子)』에 여왜 씨(女媧氏)가 흑룡(黑龍)을 죽여, 비를 멈추게 하여 기주(冀州)를 구제했다는 기록도, 수정(水精)을 상징하는 흑룡에 대한 반감을 표한 것이다. 용이 출현했다는 기록은 중국의 사서(史書)를 비롯한 각 종 문적에 무수히 나오지만 그 실체가 과연 용인지는 단정키 어렵다.

용은 그 역할과 기능에 따라 다기다양하게 분류되었다. 규룡을 용의 우두머리로 취급하기도 했지만, 오방색(五方色)을 기준하여 중앙색인 황룡(黃龍)을 사룡(四龍, 靑·白·赤·黑)중 최고로 인식했다. 황룡은 중앙에 자리 잡아 신령(神靈)의 정을 받아, 능히 '거세(巨細)·유명(幽明)·장단(長短)·존망(存亡)'을 무소부지로 행할 수 있다. 황룡은 무리를 지어 다니지 않고, 떼를 지어 거처하지 않으며, 풍우를 쫓아 청정한 환경에 노닐며, 성인이 나타나면 출현하고, 성현이 없을 때는 숨는다고 했다. 용은 이처럼 신령스럽고 고귀한 성품을 지닌 영물로 인식하여 숭배했다.

중국황제의 어가(御駕)와 복색(服色) 및 국가의 상징은 수천 년간 용봉(龍鳳)이었다. 용은 북방 강역과 백성을, 봉은 남방지역과 백성을 통합하기 위해서였다. 용봉에서 용은 북현무, 봉은 남주작(朱雀)에 뿌리를 둔 것이다. 조선왕조에 이은 대한민국의 국장이 용이 없고 봉황으로 국한된 것은, 황제국이 아니었다는 사실과 연관이 있는 것일까.

중국이 용봉을 버리고, 오성(五星)을 국장으로 삼고 그들 국기에 그려진 5성도 오행(五行)의 '金·木·水·火·土'가 아니고, 한족과 소수민족을 상징한 것으로 해석하고 있지만 이는 납득이 안 되고, 이를 두고 오성의 현대적인 재해석으로 취급하는 것도 잘못이다. 청천백일기(靑天白日旗, 대만국기)를 오성기(五星旗)로 바꾼 것이 진보인지도 역시 의문이다. 태양과 별은 그 위상이 현저하게 다르다.

4

황룡은 오방색(五方色)에 기준 할 경우, 용의 우두머리이다. 오방색이 아닌 다른 척도로 보았을 때, 용의 수장은 규룡(虯龍)이다. 규룡이 황룡일 가능성도 있다. 규룡은 여타의 용을 불러 모을 수도 물리칠 수도 있으며, 구름을 타고 하늘에 올라 비를 뿌려 대지를 적셔 풍년을 만들고,

사악한 것을 제거하는 일을 수행하며, 아홉 아들을 낳아 인간 생활에 다방면으로 도움을 준다는 설이 있다.

소위 용의 아홉 아들(龍生九子)은 구체적 형상으로 우리 주변 고궁이나 문화유적과 여러 건축구조물에 두루 각인되어 있음에도 불구하고, 그저 예부터 있어왔던 무의미한 잡상 정도로 취급하여 그냥 스쳐 지나고 있다. '용생구자(龍生九子)' 설에 대해, 저인확(褚人穫, 淸代人)의 『견호집(堅瓠集)』과 호승지(胡承之)의 『진주선(眞珠船)』 등 서적에 다음과 같은 기록이 있다.

제1자(第一子)는 '비희(贔屭)'로 일명 패하(霸下)라고 하는데, 무거운 짐을 지기 좋아하기 때문에, 비석을 받치는 거북 모양의 대좌에 쓰인다. 비희의 생김새는 거북과 비슷한 까닭으로 흔히 거북으로 일컬어지지만 거북과는 다른 동물이다.

제2자는 '이문(螭吻)'인데 형태는 괴수 같고 성질이 멀리 바라보기를 즐겨서, 건물 처마에 앉아있는 짐승조각상인데, 일명이 조풍(嘲風)이고 위험한 것을 마다하지 않는다. '치미(鴟尾)'라고도 하며 화재를 제압하는 능력이 있다.

제3자는 '포뇌(蒲牢)'로 형상은 용과 비슷하고, 소리 지르기를 좋아하기 때문에, 종과 종을 매다는 고리와 종신에 새겨진다. 포뇌는 고래를 두려워한다. 고래가 포뇌를 공격하면 놀라서 큰소리를 낸다. 종은 소리가 크고 웅장해야 하므로 포뇌를 새겼고, 종이 큰소리를 내게 하기 위해 포뇌를 조각한 기구로 종을 치게 한 것이다.

제4자는 '폐안(狴犴)'으로 일명은 헌장(憲章)이다. 형태는 범과 같아서 위력이 있으므로 형조나 사헌부 옥문 옆에 세운다. 폐안은 송사(訟事)를 즐기기 때문에 감옥 문에 조각한다.

제5자는 '도철(饕餮)'인데 음식을 탐하므로, 식당이나 솥뚜껑 등 음식에 관련된 집기에 그 형상을 조각한다.

　제6자는 '공복(蚣蝮)'으로 물을 좋아하므로, 그 형상을 다리 옆에 세우거나 교각에 조각한다. 원공(蚖蚣)이라고도 하여 물마시기를 좋아하는 성품이 있다.

　제7자는 '애자(睚眦)'인데 살상을 좋아하므로, 칼 고리나 칼자루 또는 칼집머리에 새긴다.

　제8자는 '산예(狻猊)'로 사자와 비슷하게 생겼고, 연기와 불을 좋아하므로 사묘 앞에 향로로 활용한다. 또 앉아 있기를 좋아해서 부처의 좌대나 탑을 이고 있기도 하며 일명 금예(金猊)라고 한다. 산예는 또 사자의 옛 이름으로 보기도 한다.

　제9자는 '초도(椒圖, 椒塗라고도 함)'로 형태는 고동(螺)과 소라(蚌)처럼 생겼고, 열지 못하게 잠그기를 좋아하므로 대문이나 창고 궤짝 등의 자물통에 새긴다.

　위에 열거한 '비희·이문·포뇌·폐안·도철·공복·애자·산예·초도'가 이른 바 용이 낳은 아홉 아들이다. 용이 이들을 직접 낳았는지, 아니면 알을 낳아 부화했는지는 견해가 분분하다. '비희'는 비석 받침, '이문'은 건물 옥상이나 추녀에 있는 치미로 화재예방과 진압의 기능이 있고, '포뇌'는 소리 지르기를 좋아하기 때문에 종을 거는 상부 고리에 조각한다. 종은 소리가 커야하므로 고래를 무서워하는 특성을 이용하여, 종 치는 기구에다 이를 새겨 더 큰 소리를 내게 하는데 목적이 있다.

　'폐안'은 범처럼 생긴 것으로 옥문 앞에 세웠다. '도철'은 식탐이 많아 솥뚜껑에 새겼고, '공복'은 물과 물마시기를 좋아하는 성질을 이용하여 교각에 조각했다. '애자'는 살상을 즐기므로 칼자루에 새겼으며, '산예'는 연기와 불을 좋아하기 때문에 향로로 활용되었고, 또 앉기를 좋아한 연고로 부처의 좌대에 조각되었다. '초도'는 고동과 소라 형태로 열기가 쉽지 않다는 특성을 이용하여 자물쇠에 이를 새겼다.

이들 용의 아홉 아들은 궁전이나 사찰 등 사묘(社廟)에 널리 사용되어, 건물의 권위를 높이는 상징물이 되었고, 지금도 각종 건물과 구조물에 두루 남아있음에도 불구하고 우리는 그 함의를 자세하게 모르고 있다.

'용생구자' 이외에 속전에 '삼자(三子)'가 또 있다. '금오(金吾, 새 이름)'는 새처럼 두 날개가 있고 물고기와 비슷하며 비늘이 있다. 성질은 신령스런 면이 있으며 잠을 자지 않으므로, 밤낮으로 순찰하는 경비책임자 및 나졸의 호칭이 되었다. '이호(口虎)'는 용과 비슷하고 문채(文采)를 좋아하므로 비석 양 모서리에 새겼다. '별어(鼈魚)'는 만합(蠻蛤)이라고도 하는데 용 비슷하게 생겼고, 불을 삼키길 좋아해 집 용마루 등에 새운다. 아울러 바람과 비를 좋아해, 바다 가운데에 봉래산을 짊어지고 있는 영물로 숭앙되었다. 속설에 한반도를 이 '별어(자라)'가 짊어지고 있다고 한다.

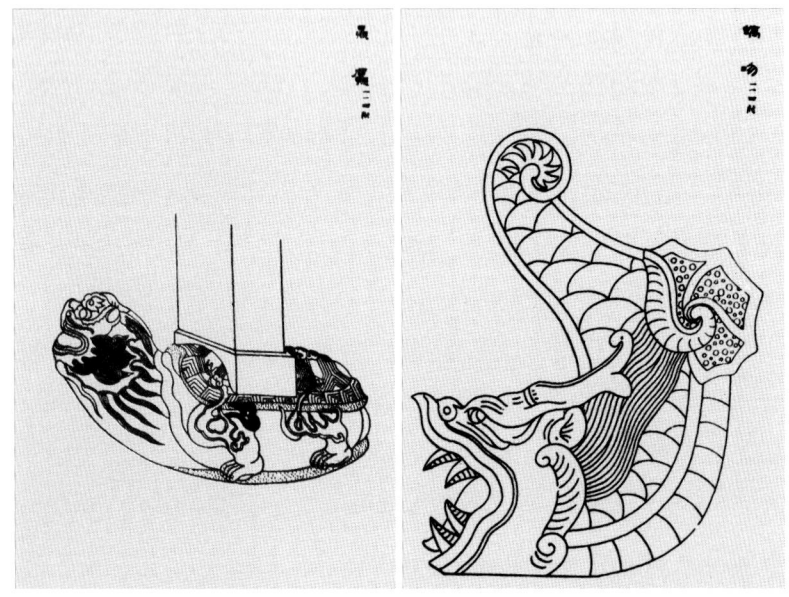

이들 용의 아홉 아들은 용이 되지 못한 용 새끼로 인식되며, 문헌에 따라 그 명칭에 다소의 출입이 있다. 일반적으로 통용되는 구자(九子)에 없는 '수우(囚牛)'도 있다. '수우'는 음악을 좋아하는 괴수로, 호금(胡琴)에 새겨 악기가 아름다운 소리를 내기를 바라는 뜻이 담겨 있다. 물을 좋아하기 때문에 교각에 조각하는 '공복'을 '치문(蚩吻)'으로 대체한 사례도 있다. 이들 용의 아홉 아들은 도안에 구체적 형상으로 남아 있기 때문에, 우리 주변 구조물에 있는 조각과 부조 등에 많이 부조되어 있다.

고고학적 발굴에 나온 이상한 형체의 물건을, 사람에 따라 다르게 명명하는 것은 '용생구자'의 내용과 용에 관한 이해가 부족하기 때문이다. 그리하여 잘 모르는 짐승의 형상을 한 유물을 두고, 쉽게 '잡상'으로 일컫는 예가 허다하다. '잡상'으로 통칭되는 것들을 정치하게 검토하면, 정확한 이름을 낱낱이 밝힐 수도 있다.

전설과 상상 속에 영물인 용은 실지로 우리 주변 도처에 살아 숨 쉬고 있다. 궁전이나 사찰 또는 각종 묘우(廟宇)와 가옥 고가구 및 현재 재현되는 소품에도, 용은 죽지 않고 남아 인간과 대화를 나누고 있다. 비록 상상으로 만들어졌을 지라도, 용은 신비하고 아름답고 위엄 있는 이미지로 우리 곁에 살아 숨 쉬고 있다. 용은 앞으로도 우리의 삶속에 소멸되지 않고 길이 존재할 것이다.

샴족의 어른들을 위한 명심보감

글 **오 흥 범**
문화관광신문(주) 부회장

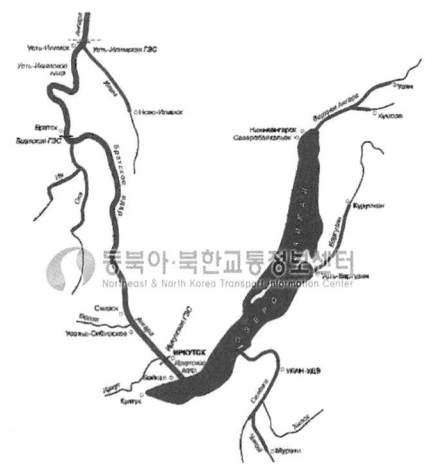

약 15만 년 전 아프리카에서 탄생한 인류는 5~8만 년 전 북쪽으로
이동을 시작하였다. 북상한 인류(호모사피엔스사피엔스) 중 후에 우리 한
민족의 주류가 되는 인류들은 동식물이 풍부하여 먹을 것이 가장 많았
던 시베리아(알타이산맥 동쪽–바이칼호 서쪽주변) 지역을 생활터전으로 삼
았으니, 이곳이 구약성서에 에덴(지도 참조. 4대강이 흐르는 곳)이라고 기록
된 지역이다. 환단고기에는 '사백력의 하늘'이라 기록된 곳이다.

그러나 지구가 대홍수를 거치고, 빙하기를 맞게 되면서 기온이 하강
하였고, 최종빙기최성기의 시베리아 지역은 영하 50도에서 영하 60도

를 오르내리는 극심한 추위를 맞게 되었다. 그런데, 시베리아(에덴)는 사방이 전부 얼음으로 둘러싸여 고립되는 바람에 우리 선조인 샴족(= 한족)들이 빙하지대를 벗어나 다른 곳으로 이동할 수 있는 탈출구가 전혀 없었다.

물론 시베리아가 아닌 다른 지역에서 살던 인류는 추위를 피해 비교적 따뜻하고 먹거리가 풍부한 곳으로 옮겨갈 수 있었으나, 우리 선조가 되는 인류(샴족=한족)들은 말로 표현할 수 없는 시베리아의 극심한 추위를 피할 곳이 없었다.

영하 60도를 오르내리는 극심한 추위 속에서 우리의 선조들은 신체의 열손실을 최대한으로 줄여야만 살아남을 수 있는 최악의 생존환경에 직면하게 되었다. 결국, 살아남기 위해서는 신체의 표면적을 줄여 열손실을 최소화할 수 있도록 진화할 수밖에 없었다.

어쩔 수 없이 빙하에 갇힌 샴족들은 열손실을 최소화하기 위해 빙하기가 끝날 때까지 극단적으로 신체의 외형을 줄이는 신체적 진화를 감내할 수밖에 없었다. 아니 인위적으로 신체를 줄였다기보다는 상대적으로 신체가 작아 열손실로 인한 동사를 면한 사람들만이 아이를 낳아 기를 수 있었고 결국 신체가 작게 태어난 후예들만 살아남았다고 하는 것이 정확한 표현이 되겠다.

그러나 머리부터 발끝까지 신체가 최소화되는 진화를 거듭하면서도 샴신(=삼신(할머니))의 보호가 있어서 샴족들의 뇌 용량은 줄어들지 않고 그대로 유지된 까닭에 시간이 갈수록 지능은 더 높아지고 지혜롭게 되어 문명을 일으킬 수 있는 바탕을 갖추게 되었다.

혹한의 시베리아(바이칼호 서쪽)지역이지만 그래도 비교적 덜 추운 지역에 여럿이 함께 모여 살다보니 의사소통을 위해 언어생활을 시작하였고, 기온이 너무 낮아 손이 얼어서 이미 개발해서 사용하던 마제석기를 가공하는 것조차 포기한 선조들은 어쩔 수없이 태초에 쓰던 타제석기를 다시 만들어 사용하면서, 지도자인 샤먼(삼신할머니와 영통하는 지도자, 무당)의 가르침을 따라 모계사회를 이루고 언제 끝날지 모르는 혹한기를 누대를 거듭하며 살아갈 수밖에 없었다.

세월이 흐르면서 샴족은 불을 발견하여 극심한 추위를 극복할 수 있었다. 동굴 속에서 손쉽게 단백질을 얻기 위해 늑대를 길들여 개로 만들어 가축화 하였다.

광물이 포함된 암석을 고열의 불에 녹여서 청동기를 만들어 내었으니, 이는 인류 최초의 청동기문명을 샴족이 시작한 것이었다. 청동기문명이 발생하면서 선조(샴족)들은 석기를 사용하면서 샴신(여신)을 섬기던 모계사회(석기시대)를 마감하고, 청동무기를 기반으로 한 부계사회(한국=환국)를 시작하였고, 선조들이 섬기던 신도 여신(샴신=삼신할머니)에서 남신(=하느님, 한인 또는 환인)으로 바뀌었고, 신이 바뀜에 따라 스스로를 칭하던 족명도 샴족에서 한족으로 바뀌 부르게 되었다.

간빙기가 되어 지구 기온이 상승하면서 사방을 둘러싸고 있던 빙하가 일부 녹게 되어 탈출구가 발견되자 청동기를 기반으로 일어난 신흥세력(남신인 한님을 섬기던 부계사회)과의 권력투쟁에서 밀려나 있던 여신인 샴신(=삼신할머니)을 섬겨오던 모계사회의 일부 후예들은 한님 세력과 길을 달리하여 하늘(사백력/시베리아)에서 땅(동북아시아 또는 베링해의 얼음을 밟고 아메리카까지), 서남아시아(메소포타미아)로 하강하였다. 그들 중에 서남아시아의 메소포타미아지역으로 남하한 세력은 그곳에 터전을 잡고 살고 있던 현지 인간(빙하기의 극심한 추위를 모른 채 따뜻하고 먹을 것이 많던 메소포타미아지역이라 체형을 줄이는 진화과정을 겪지 않아서 신체도 크고 옷도 없이 벌거벗은 채로 언어도 없이 짐승과 다름없는 미개한 원시생활을 하고 있던 인류) 들을 잡아다가 먹을 것을 주고 샴족과 의사소통할 수 있는 말과 초보 적인 기능을 가르쳐서 인간(노예)으로 만들었다.

인간(노예)들과 이주민인 자신(샴족)들을 구별하기 위해 스스로를 하 늘(시베리아)에서 강림한 신(엘, 엔릴, 엔키)으로 인간(노예)들에게 각인시켰 고, 인간을 만든 창조주로 행세하면서 섬김을 받았다(수메르신화). 이들 샴족을 노아(수메르신화의 우투나피쉬팀)의 장자 셈(샴 의 히브리어 표현)의 후 예(셈족)라고 성경은 기록하였다.

그러나 한국(하늘, 시베리아)의 권력을 차지한 한족의 선조들은 대부 분의 빙하가 녹을 때(최종빙기)까지 하늘에 남아 생활하고 있었다. 그동 안 하늘의 지배 권력은 변천을 거듭하여 최종빙기 때에는 일곱 번째 한 님(환인 정권) 시대를 맞이하기에 이르렀으며, 철기문명시대가 활짝 피 었다. 이 때 하느님(한인, 단군신화 속의 환인천제)은 아들인 한웅(환웅)을 시켜 하늘(시베리아, 사백력)에서 땅(동시베리아=동북아시아, 에덴의 동쪽)으 로 한족 무리를 최종적으로 이동시키면서 하늘나라(한국=환국, 에덴) 시 대를 마감하였으니, 이는 지금으로부터 약 6천 년 전의 일이다.

한웅(환웅)은 아버지인 한님(하느님)으로부터 받은 천부인과 풍백, 우 사, 운사와 함께 한족무리를 거느리고 홍익인간제세이화의 큰 뜻을 이 루기 위해 하늘(시베리아)에서 땅(동시베리아, 동북아시아)으로 하강하여, 오 래 전 하늘에서 먼저 땅으로 내려와 살던 선주민(샴족)들을 무력(신무기, 철기)으로 제압하고 새로운 한국(신시, 배달국)을 개국하였다.

그 후, 천자 한웅은 풍백(군신)으로 불리운 치우천왕(=중국사의 황제 헌 원=수메르신화의 TESUB=바람의 신=아카드제국의 사르곤=성경 속의 모세)에게 철기로 무장한 군대를 주어 세계(아시아)를 정복하도록 지시하였다. 바 람의 신(풍백) 치우는 오래 전에 이주한 서남아시아의 수메르권력자(엔 릴 등 메소포타미아의 수메르 신(바람의 신=풍백))들을 정복하고 홍익인간제세

이화의 하느님의 가르침을 토대로 한 하느님의 아들(한웅, 천자)의 제후국가를 건설하였다.(B.C. 2,700년경)

치우천왕(=풍백)은 최강의 군대를 기반으로 하여, 훨씬 오래 전에 하늘(시베리아)에서 땅으로 이주한 샴족의 나라들을 정복하여, 전 세계에 제후국가를 세우고 바람의 신(=군신)으로 섬김을 받았다.

세계 인류의 역사는 빙하로 둘러싸인 시베리아(사백력, 에덴)의 극심한 추위 속에서 샴신을 어머니로, 하느님을 아버지로 섬기며 살던 한족(=샴족)으로부터 시작되었으며 천자 한웅의 무리인 한족은 지구의 역사를 처음부터 써내려갔던 것이다.

그리고 우리 선조인 한(=조선)족들은 홍익인간제세이화라는 한웅천왕의 큰 뜻으로 자신들의 아이들을 가르쳤고, 이는 근세조선까지 계속되었다. 조선에서는 아이가 자라 글방(서당)에 처음 가면 천자문부터 가르쳤다. 아이는 처음부터 천자문이란 글을 배운 것이 아니라 천자문이라 이름 붙여진 음률을 배웠다. '하나알-턴! 따-지! 거무-런! 누루-황! 지-부! 집-주…!' 음률이 다듬어져서 암송이 자연스럽게 될 때까지는 글자를 가르치지 않았다.

자연스럽게 음률을 넣어 암송이 될 때부터 - 상자에 모래를 담아 만든 글자연습 도구를 이용해 - 나뭇가지로 글을 쓰는 연습을 하면서 글공부는 시작되었다. 모든 책은 한자로 기록되었기 때문에 천자문을 떼지 않고는 어떠한 책도 읽을 수가 없었다.

천자문을 다 떼면 어머니는 글방에 떡을 해서 들여보냈다. 이른바 '책거리'다. 책 걸이에서 꺼내어 들고 외던 책을 다시 줄에 건다는 뜻이다(직접 글방에 가보지는 못했지만 가구가 별로 없던 온돌방에 줄을 걸고 그 곳에 책을 걸어두었는지 모를 일이다). 책거리는 이제 아이가 공부(학문)를 시작할 때가 되었다는 '신고식'이었다. 그러나 천자문을 떼었다고 해도 아이는 바로 공부에 들어갈 수가 없었다.

공부를 시작하기 전에 인성을 먼저 닦아야 했다. 인성이 바탕이 되지 않으면 글방의 훈장님은 공부를 가르치지 않았던 것이다.

아이(학동)가 공부(학문)를 시작하기 전에 인성을 먼저 닦도록 선조들에 의해 준비된 교재가 바로 명심보감이었다. 글방에 들어온 아이(학동)가 천자문을 떼자마자 두 번째로 주어지는 책이 바로 명심보감이었다.

명심보감을 읽고 외고 그 뜻을 새겨서 마음과 몸에 담은 연후에 훈장의 평가에 따라 학동은 학도가 될 수 있었다.

현대적 교육기관에서 아이 때 가르치지 않는 '명심보감'은 바로 조상들이 자녀들을 위해 준비한 인성교재였다. 그 중에 현대의 어른들이 새겨야 할 만한 부분을 세 꼭지만 추려 보겠다.

예화 1

공자가 말하기를, "착한 일을 한 사람에게는 하늘이 복을 주고, 악한 일을 한 사람에게는 하늘이 재화를 준다."

이씨조선 선조 때, 정협이라는 사람이 있었다. 그는 어려서 장가를 들어 새로 지은 옷을 입고 동무들과 함께 '운곡서원'엘 다녀오게 되었다. 돌아오는 길에 그는 길가에서 떨고 있는 거지아이를 발견하고 측은한 생각에 자기의 새 옷(周衣)을 벗어 거지에게 입혀가지고 가동(家童)을 시켜 데려다가 집에서 키우게 했다. 이 아이는 크면서 주인에게 매우 충성스러웠고 힘이 장사였다. 때마침 임진왜란을 당해서 사람들은 왜적을 피해 나룻배를 타고 강을 건너 피난하게 되었다. 그러나 나룻배는 한 척뿐인데 건너갈 사람은 많아서 수백 명이나 되었다. 대부분의 사람들이 허둥지둥 그 배에 올라타고 강을 건너다 강의 중간쯤에서 배가 뒤집혀서 가라앉았고, 사람들은 몰살을 당했다. 그러나 정협의 가족들은 무사히 강을 건널 수 있었다. 그가 데려다가 길러 준 거지아이가 얕은 여울목을 찾아 정협의 가족들을 한명한명 등에 업어서 건너 주었던 것이다.

　　명심보감 맨 첫 부분 계선(繼善)편에 실려 있는 글이다. 반대되는 예화는 생략한다. 선조들은 남을 돕는 것부터 시작한다.

예화 2

> "한 때 화나는 것을 참아 이기고 보면 앞으로 백일 동안 근심할 것을 면하게 된다."

　　초나라 장왕이 연회를 베풀어 신하들과 함께 술을 마시며 즐기던 어느 날 밤의 일이었다. 술이 여러 순배 돌아 바야흐로 주흥이 도도하고 흥취가 한창일 즈음 돌연 촛불이 꺼져 방안이 깜깜해지고 말았다. 이 때 왕의 곁에는 애첩이 그를 모시고 술을 권하고 있었는데 주위가 깜깜해서 바로 옆 사람도 분별할 수가 없었다. 이 틈을 타서 어느 신하 한 명이 왕의 애첩에게 입을 맞추었다. 왕의 애첩은 너무도 불시에 당하는 일이라 엉겁결에 그 신하의 갓끈을 잡아떼고 급히 왕에게 아뢰었다.

　　"불이 꺼진 틈을 타서 어느 무례한 놈이 소첩에게 해괴한 짓을 하였사옵니다. 소첩이 그 놈의 갓끈을 잡아떼었사오니 빨리 불을 켜고 그

놈을 잡아 엄벌하여 주시옵소서." 이 말을 들은 왕은 큰 소리로, "지금 이 자리에 모인 모든 사람은 모두 갓끈을 뗄지어다. 만일 갓끈을 떼지 않은 사람이 있으면 크게 엄벌하리다."하고 영을 내렸다. 모든 신하들은 전부 갓끈을 떼어 버렸고, 불을 켰으나 왕의 애첩에게 입을 맞춘 신하는 찾을 수가 없었다. 그 신하는 목숨을 부지했다.

이런 일이 있고나서 약 2년이 지난 후, 진나라가 초나라로 쳐들어 왔다. 초나라보다 훨씬 강한 진나라는 초나라 군사를 모두 무찌르고 승승장구 진격하여 초나라 운명은 바람 앞의 등불처럼 위급한 지경에 처하였다.

초나라 장왕은 하늘을 우러러 탄식하며 어찌할 줄 모르는데, 갑자기 한 장수가 진나라 진영으로 달려들더니, 그 장수로 인해 진나라 군사의 진중이 어지러워지고, 그 장수는 진나라 장수들을 차례로 베면서 헤쳐 나가니, 진나라 군사는 크게 패하여 많은 군사를 잃고 길을 다투어 도망하기에 바빴다.

진나라 군사를 저 멀리까지 쫓아 보낸 그 장수는 다시 돌아와 왕 앞에 무릎을 꿇었다. 왕은 너무나도 뜻밖의 일에 놀라 입을 열지 못하다가, 한참 후에야 "그대는 대체 누구인데 이런 위급한 지경에 나를 도와 적을 무찔렀는고?" "예, 아뢰옵기 황송하오나 수년 전 연회석상에서 갓끈 뗀 일을 기억하고 계시옵니까? 바로 신이 그 때 죄를 지은 놈이옵니다."

그 장수는 머리를 땅에 조아리며 그 때 자기의 지은 죄를 벌하여 줄 것을 청하며, 자기는 그길로 산에 들어가 왕을 위하여 보답할 일을 생각하고 무술을 익혀 오던 중 오늘과 같은 일을 당했다는 것이었다(선조들은 어린 학동들에게 자연스럽게 어른들의 삶을 보여주고 있다).

> "만일 남이 나를 중히 여기게 하려면 내가 먼저 남을 중히 여겨야 만 할 것이다."

이조 인조반정 때의 일을 직접 자기 눈으로 보았다는 사람의 이야기이다. 김준이라는 사람은 광해주(광해군) 때 병조에서 늙은 이속으로 일하고 있었는데, 그가 반정 때 목도한 일을 후일 동평위 정재륜에게 이야기하였다는 내용이다. 그의 말에 의하면 광해군의 포학무도한 것이란 이루 말할 수 없어서, 철모르는 부녀자나 가동주졸(街童走卒)까지도 원망치 않는 이가 없었지만 막상 의거(義擧)가 있던 날 그가 강화도로 쫓겨 가는 꼴이란 어찌나 행색이 비참한지 보는 사람이면 남녀 귀천을 막론하고 눈물을 흘리지 않을 수가 없었더라는 것이었다. 그런데 어제까지 광해군 밑에서 신하로 있던 훈신들 중에는 슬퍼하거나 그를 동정하는 사람은 없고 모두 희희낙락해 하고 있었다고 한다. 그러나 그 일이 지나간 뒷날에 가서 보니, 슬퍼하던 사람은 모두 어질고 착한 사람들이어서 새 조정에 충성을 바쳤지만, 지나치게 기뻐하던 사람 쳐놓고 제 명대로 살다가 죽은 사람이 몇 명 없더라는 것이었다. 아마도 전 임금에 대해서 의리가 없던 신하는 새 임금에 대해서도 충성을 다할 리가 없는 모양이다(충신불사이군이라는 말은 호사가들이 지어낸 말이었나 보다).

여기 당시의 표본적인 이야기가 하나 있다.

반정하던 날 밤 입직하던 신하들은 모두가 혼비백산해서 어찌할 줄을 모르고 제각기 제 목숨을 도망하여 살 길을 찾고 있었는데, 그 수라장 속에서도 능양군(후일의 인조(仁祖))을 붙들고 구주(舊主) 광해를 살려달라고 애원한 신하가 있었으니, 그가 바로 그 날 밤 입직승지였던 죽천 이덕형 이었다.

뒷날 인조는 특별히 교지를 내려 말하기를, "이덕형의 충의는 의거하던 날 내가 이미 알았노라"하고 이덕형을 중용하였고, 이덕형의 벼슬은 판서에 이르렀다.

반정의 의거가 일어나 조정이 온통 수라장이 된 판국에 감히 누가 "구주 광해를 살려주십시오!"하고 눈물을 흘리면서 새 주인에게 애원할 수 있을까? 이는 지극한 충성과 지극한 의리를 보여주는 이덕형의 일화이고, 이덕형을 알아본 능양군 인조의 인품이다.

남이 나를 소중히 여기게 하려면 그러기 전에 먼저 나도 남을 소중히 여겨야 한다는 가르침이다. 하지만 자라서 겨우 문자(천자문)를 깨우친 어린 학동들에게 이런 심오한 내용이 포함된 예화들을 명심보감(명심해야할 보감)이라고 이름 붙여 가르친다는 것이 쉬운 일은 아니다. 이와 같은 것을 어린 학동들에게 가르친 우리 선조들의 지혜와 인성교육은 최첨단의 물질문명시대를 살아가는 현대 성인들이 본받아야 할 모델이 아닐 수 없다. 가희 홍익인간 제세 이화의 통치이념으로 세계를 다스렸던 샘족의 후예들이 아닐 수 없다.

▷ 참고문헌: 황영희, 과학기록으로 쓴 한국사/ 이민수 옮김, 새로 풀이한 명심보감, (주)을유문화사(1999)
▷ 그림자료: (인터넷 문화관광신문 www.mounwha.com)
에덴 추정 지도는 인터넷 구글에 있는 동북아 북한교통정센터,
조선시대 화가인 신윤복의 청포도, 장승업 꽃사슴, 독수리,장닭.

제3부

탐방 여행

김광덕

이흥규

사진 김광덕

불교 도래지에 대한 地理的 考察

이흥규의 불교문화 여행

글 芝堂 **이 흥 규**

(시인, 소설가)

사람이 신앙을 바꾸기는 참으로 어려운 일이다. 이미 가슴 속에 깊이 뿌리박고 있는 신앙을 밀어내고 새로운 신앙을 들여앉힌다는 것은 자신의 혼을 빼내고 새 혼을 담는 것과 다름없기 때문이다. 인생역정의 새로운 전기를 맞았다거나 혼자 힘으로는 도저히 이겨내기 힘든 어려움에 봉착하여 신에게 기댈 수밖에 없는 급박한 상황에 처한 사람의 경우에나 가능한 일이다.

하물며 문명이 발달하지 못한 고대사회에서 인간의 정신적 근간으로 모든 생활을 지배하고 있는 기존신앙이 수천 년 동안 전통적으로 뿌리박고 있는 어느 지역에 새로운 종교가 정착하기가 어디 쉬운 일이겠는가. 이를 위해서는 오랜 세월과 수많은 순교자들의 희생이 따르기 마련일 것이다.

이런 까닭에 타종교가 끝내 한발도 내딛지 못하고 수천 년 동안 종교분쟁이 끊이지 않는 지역이 많다. 오늘날에도 인간의 수많은 생명을 앗아가는 전쟁의 원인은 비록 종교전쟁이 아니라 할지라도 내면 깊이 종교가 숨어 있는 것이 사실이며 이 전쟁은 지구상의 모든 나라들의 정치, 경제, 외교, 문화에 크게 영향을 끼치기도 한다.

우리나라의 종교역사를 살펴보더라도 신라에 불교가 정착하기까지는 이차돈의 순교가 있고난 후에야 뿌리내릴 수 있었으며 기독교의 역사 또한 마찬가지로 서양 오랑캐의 신앙으로 배척하여 수많은 순교자들의 희생 위에 비로소 새로운 신앙의 성단이 지어질 수 있었다.

이 땅에 불교가 들어오기 이전에 우리 민족의 생활 속에 뿌리박고 있던 신앙은 천신숭배사상이었다. 즉 우리 민족은 하느님의 자손이라는 홍익인간(弘益人間)의 이념이 한민족(韓民族)의 가슴속에 긍지로 자리 잡고 있었다. 그래서 불교가 이 땅에 들어오기 전까지 각 부족국가마다 추수가 끝나면 국중대회(國中大會)를 열고 하늘에 제사 지내며 주야음주가무(晝夜飮酒歌舞)를 즐겼던 예맥(濊貊)의 무천(舞天)제, 부여의 영고(迎鼓)제, 고구려의 동맹(東盟)제 등의 축제는 환인천제, 환웅천왕, 단군왕검을 숭배하는 천손사상에서 비롯된 것이다.

우리는 여기서 우리 민족의 조상으로 여기는 단군왕검에 대하여 주목할 필요가 있다. 단군은 하늘에 제사를 지내는 제사장이며 왕검은 나라를 다스리는 왕을 일컫는다. 즉 왕보다도 제사장이 우위임을 의미한다. 우리 민족은 하느님의 자손이며 인간의 모든 길흉화복을 하느님이 점지해 주시는 것으로 믿는 천신숭배사상이 무려 3천여 년 동안이나 이 땅을 지배해 온 것이다.

이처럼 수천 년 동안 하느님(天神)을 믿어온 사람들의 가슴 속에 뿌리박혀 단단히 굳어있는 신앙심을 걷어내고 부처님이 들어앉기 위해서는 엄청난 갈등과 순교의 희생이 따를 수밖에 없었을 터인데도 고구려나 백제에 그러한 순교의 기록이나 전설이 전해오지 않는 이유는 무슨 까닭일까? 그 까닭은 불교의 도래지를 더듬어 살펴보면 짐작할 수 있다.

우리나라에 불교가 들어온 길은 고구려를 통해서 들어온 북방불교와 백제로 들어온 남방불교 두 갈래다.

먼저 북방불교의 도래지를 찾아가보자.

북방불교를 전파한 사람은 아도(阿道)로 알려져 있으며 묵호자라고도 한다. 묵호자보다 2년 앞서 5호16국시대의 전진(前秦)사람 순도(順道)가 서기 372년(소수림왕 2년)에 전진의 왕 부견(符堅)의 명으로 사신을 따라 불상과 경문을 가지고 와 귀화하였으나 이를 불교의 전파나 도래의 시초로 보기는 어려우며, 불교를 전파하려는 의도로 잠입한 아도를 최초의 불교 전래자로 보는 것이 타당하다.

아도가 서기 374년(소수림왕 4년)에 잠입하여 숨어 살면서 불교를 전파한 곳은 일선현(一善縣)으로 지금의 경상북도 선산의 낙동강 가에 위치한 마을이며, 도리사, 모례장자샘 등에 그의 행적이 전설로 남아있다. 아도화상은 낙동강이 건너다보이는 금오산 자락에 위치한 양지바른 마을에 이르러 모례라는 사람의 집에 머물면서 불법을 전하고 있었다. 그러던 어느 날 추운 겨울철인데도 복숭아꽃과 오얏꽃이 활짝 피어있는 것을 보고 그곳에 절을 짓고 이름을 도리사(桃李寺)라 명명하였다 한다. 그래서 이곳을 북방불교의 도래지로 본다.

그렇다면 아도는 위나라에서 만주를 거쳐 들어오면서 요동성 또는 국내성이나 평양성 등을 지나왔을 터인데 왜 사람들이 많이 모여 살고 있는 정치, 경제의 중심지에서 불교를 전파하지 않고 고구려, 백제, 신라, 삼국이 각축전을 벌이는 국경지대인 이곳을 포교 장소로 택했을까?

그 까닭은 단순하고도 명백하다. 사람들이 많이 모여 사는 고구려의 중심지에서는 천신숭배사상이 뿌리박고 있어 감히 부처님을 입에 올리지도 못했을 것이다. 그리고 하느님을 믿으며 등 따시고 배부르게 행복한 생활을 누리는 사람들에게 부처님의 가르침을 따라 깨달음을 얻어야만 극락왕생할 수 있다는 말은 궤변으로밖엔 들리지 않았으리라. 오히려 수천 년 동안 믿어온 천신숭배사상의 이단자로 몰려 목숨을 잃었거나 아니면 갖은 박해를 받고 쫓겨났을 것으로 여겨진다.

그러나 삼국이 서로 차지하려고 각축을 벌이는 낙동강 유역의 선산 땅은 자고나면 나라가 바뀌는 격전지로 전쟁이 끊일 날이 없었을 것이며 이곳에 사는 사람들은 온갖 불안과 번민으로 하루하루의 삶이 고통스러웠을 것이다. 신앙은 춥고 배고프고 삶이 불안한 사람에게 파고들기 마련이며 고통과 번민으로 시달리는 사람들이 종교에 의지할 수밖에 없다. 이러한 관점에서 볼 때 그 당시 이곳 선산은 불교 도래지로 최적지였을 것이다. 아도화상이 이곳에서부터 불교전파를 시작한 이유가 바로 여기에 있다.

남방불교의 도래지는 이와는 전혀 다르다. 남방불교는 북방불교의 전래보다는 10년 늦은 서기 384년(백제 침류왕 원년)에 호승(胡僧) 마라난타(摩羅難陀)가 전래하였다는 것이 정설이다. 이는 기록으로 남아있는 근거를 찾기 어려워 그가 거쳐 간 지명이나 흔적을 더듬어보고 추측할 수밖에 없다. 마라난타는 동진(東晋)에서 배를 타고 동쪽으로 항해하던 중에 칠산 바다에서 풍랑을 만난다. 풍랑에 밀려 온 그는 몽냉기의 목을 넘어 구사일생으로 법성포의 숲쟁이 뒤편 바닷가에 닻을 내린다. 목냉기는 홍농읍 칠곡리의 아늑한 해변마을로 법성포항에서 칠산바다로 통하는 길목에 돌출한 곳 안쪽에 자리 잡은 마을이다. 이 지명의 어원은 '목 넘기기'인데 바다에서 풍랑을 만났을 때 '이 목만 넘기면 산다.' 는 지형적 특수성 때문에 생긴 이름이다. 이 목냉기에서 내륙으로 500여 미터 안쪽이 불교 도래지이다.

원래 불가에서는 불(佛), 법(法), 승(僧)을 삼보(三寶)라고 하는데 불은 부처요, 법은 불경이요, 승은 성인을 말한다. 마라난타가 닻을 내린 이 곳의 지명 법성(法聖)은 법(불경)을 가지고 성자(마라난타)가 도래한 곳이라는 의미로 해석할 수 있다. 이 법성포는 아미타불(阿彌陀佛)에 돌아가 구원을 받는다는 아무포(阿無浦)라 불렸다가 서기992년부터는 부용포(芙蓉浦)라는 이름에 밀려 사라졌다. 부용이란 연꽃의 별칭으로 불교에서는 이 연꽃을 신성과 순결의 표상으로 여기며 불상을 연꽃 위에 모시고 불교의 모든 행사에 연화등(蓮花燈)을 켠다.

이 도래지에서 내륙으로 들어가려면 동쪽을 향해 갈 수밖에 없는데 맨 처음 만나는 곳이 화천리다. 화천리는 화선동(化仙洞)과 천년동(千年洞), 만년동(萬年洞)을 묶어 얻은 이름이다. 화선동의 뜻은 부처님을 믿고 마음의 평화를 얻어 신선처럼 되라는 가르침이며, 천년동 뒷마을이 만년동인데 이 지명들 또한 부처님을 믿으면 천년만년 복을 누리고 살 수 있다는 의미로 얻은 지명이다. 만년동 뒷산을 넘으면 삼당리(당집이 셋이 있었던 까닭에 얻은 지명)이며 계속 내륙으로 들어가려면 새미내(새의 꼬리)에서 나룻배를 타고 새목(새의 목 나루 ; 乙津)에서 내려야 한다. 이 나루터 새목이 법성포에서 약 4km쯤 떨어진 곳으로 바로 옆 마을이 홍농읍 단덕리 관음당(觀音堂), 월성국(月城國), 염주고개 너머 염주동(念珠洞)이란 이름의 마을들로 이어진다.

관음당은 부처님의 자비심으로 중생을 구제한다는 관세음보살님께 어부들의 안녕을 비는 당제를 지내던 당집이 있어 얻은 이름으로 부처님과 하느님의 공덕을 함께 비는 특이한 이름이다. 이는 단군신앙과 불교신앙이 어우러진 이름으로 깊이 연구해 볼만한 지명이다.

월성국은 인조 때 전주이씨가 정착하면서 지조 높은 선비가 사는 마을이라 하여 단지동(丹芝洞)라 개명되었지만 월성국의 모롱곶이에서 바라보면 마을 앞바다가 마치 연꽃처럼 보이고 전도(前島 ; 월성국 앞바다 가운데 있는 섬)가 마치 연꽃가운데 앉아계신 부처님처럼 보여 생긴 이름이라고 한다. 염주고개는 염주를 손에 들고 불경을 외우며 넘는 고개이며 염주동은 이 고개 넘어 덕림산의 능선이 마치 소쿠리 모양으로 에워싼 안쪽에 집들이 들어앉은 아늑한 마을로 명지동(明地洞)이라고도 부른다. 이처럼 이 지역에는 관련이 있는 지명이 산재해 있어 불교의 법성포 도래지 설을 뒷받침 해주고 있다.

마라난타가 방향을 남으로 돌려 영광 불갑면에 자리 잡고 불교를 전파하며 지은 절이 백제 최초의 절인 불갑사(佛甲寺)다. 불갑사의 '갑'이란 처음 또는 으뜸을 나타내며 이 땅에서 부처님을 모신 최초의 절이란 의미를 지닌 이름이다. 더불어 불갑사 뒷산의 이름도 불갑산이 되었던 것이다. 원래 영광은 백제 때 무시이군(武尸伊君)이었는데 무시이(武尸伊)를 이두로 표시하면 '물'이라고 한다. 이는 이 고장의 자연조건이 만과 개펄과 강으로 이루어진데다가 주민들 대부분이 조기, 소금, 조개류 등 바다에서 나는 생산물에 의지해 생활해 나갔기 까닭에 얻은 이름이다. 남방불교가 들어 온 뒤에 이 무시이군이 무령군(武靈君)으로 다시 940년(고려 태조 23년)에 영광군(靈光君)으로 바뀐다. 무령의 령(靈)자는 '신령'을 뜻하며 영광(靈光) 역시 '신령스런 빛'이다. 즉 영광은 신령스런 빛이 내린 곳이란 의미를 가진 지명이다.

고려 말 고승 뇌옹화상(瀨翁和尙)이 1350년 6월 중국의 정자선사(淨慈禪寺)에 이르렀을 때 그 절의 몽당노숙(蒙堂老宿)이,

"그대의 나라에도 선법이 있는가?" 하고 물으니,

日出扶桑國 江南海嶽紅 莫間同與別 靈光宣古通
일출부여구 강남해아홍 막간동여별 영광선고통

(해가 부상국에서 떠서 강남 해악이 붉었으니 같고 다른 것을 묻지 마오. 영광은 예로부터 뻗처 통하였도다.)

라고 답하였다 한다. 이는 영광이 불교와 관련 있는 지명이라는 것을 증명해 주는 고사다. 마라난타는 그 후 내륙지방으로 더 들어가 나주시 다도면 덕룡산에 불회사(佛會寺)를 짓고 신도들을 모아 불교를 설파하였다.

이와 같이 마라난타존자가 이곳에 불교를 전파함에 있어서는 어떠한 저항이나 제지를 받지 않고 오히려 성인으로 받들며 불법을 받아들였던 것으로 추측할 수 있다. 이는 비록 근초고왕(?~375년)이 마라난타가 도래하기 10여 년 전에 부족국가였던 마한 지역을 통일하였다나 이 지역에는 아직 중앙의 통치권이 제대로 미치지 않던 곳으로 백제의 무력에 굴복하여 자치를 빼앗겼던 사람들이 불법을 자연스럽게 받아들였던 것으로 여겨진다. 또한 이곳은 리아스식 해안으로 바다에 의존하고 살던 사람들에게 불교는 어부들의 안녕과 무사함을 기원하는 신앙심으로 자리 잡았을 것으로 사료되며 이러한 추측을 가능케 하는 것은 위에서 언급한 화선동, 천년동, 만년동, 월성국, 관음당, 염주동 등의 이곳 지명들이 뒷받침해 주고 있다.

위에서 알아본 바와 같이 북방불교와 남방불교 도래의 흔적은 지역적 특성과 주민의 생활모습 그리고 이를 받아들이는 시대적 상황이 매우 다르지만 고구려와 백제가 불교를 받아들인 과정에서는 배척하거나 탄압으로 인한 순교자의 흔적을 찾아보기가 어렵다. 그러나 이들보다 약 150여 년 뒤에서야 불교를 받아들인 신라는 이와는 확연히 다르다. 신라 불교는 이차돈(異次頓 : 503년(지증왕 4년)~527년(법흥왕 14년))의 순교 후에야 비로소 불교를 공인한다. 이는 신라는 국토가 협소하여 중앙의 통치력이 지방에까지 미쳐 있었으며 백제나 고구려보다는 폐쇄적인 지역적 특성으로 기존 신앙을 밀어내고 불교가 쉽게 자리 잡기는 어려웠을 것이다. 그래서 고구려와 백제의 이웃이면서도 불교를 받아들이는 데는 무려 150여년의 세월이 필요하였고 순교의 희생이 따를 수밖에 없었다. 그리고 그 값을 톡톡히 치른 만큼 불교신앙의 꽃도 화려하게 피울 수 있었던 것이다.

혹자는 이 땅에 불교가 정착하게 된 과정을 통치자들이 신앙심을 이용하여 백성들의 뜻과 힘을 모으고 나라를 다스리기 위한 통치수단으로 삼기위해 불교를 먼저 받아들였다고 주장하는 이가 있으나 이는 불교 도래지에 대해 깊이 연구해보지 않은 까닭의 오판이거나 연구해보았다고 할지라도 당시 불교 도래지 백성들의 생활상을 이해하지 못한데서 비롯된 오류일 것이다. 불교는 분명 살기 힘든 서민들이 먼저 받아들여 널리 퍼진 후에 나라에서도 호국불교를 내세우며 국교로 삼게 되었던 것이다.

그 후 불교는 1,700여 년 동안 우리 민족의 정신세계에 뿌리내려 우리의 삶을 이끌어오고 있다. 조선 개국을 기점으로 유교의 선비정신이 불교를 배척하여 조선시대의 600여 년간 어짊(仁)을 근본으로 삼은 공자사상이 우리 민족의 정신적 근간을 이루고 있었지만 유교사상은 지도자급인 선비들의 사상으로 일반 백성들에게는 생활의 길잡이 역할을 했을 뿐, 정작 서민들의 가슴속에 신앙심으로 존재해온 것은 불교였다.

유교를 국가통치의 근본으로 삼았던 왕가에서마저도 원찰을 두어 왕가의 안녕을 기원하였으며 대궐 앞에 원각사(세조 11년)를 짓고 10층 석탑을 세웠다든지 보신각종을 주조하여 종소리에 맞추어 성문을 여닫는가하면 나라가 위기에 봉착한 임진왜란 때는 살생을 가장 금기로 여기는 승려들이 목탁이나 염주 대신 무기를 들고 나서서 호국불교의 면모를 보이기도 하였다. 또한 전란의 재해로 죽은 원혼들의 명복을 비는 대규모 법회를 여는 등의 행사에서 보여주듯 신앙으로서의 불교는 끊임없이 지속되어 왔다.

우주시대인 오늘날 타종교 신자들의 생활 속에서마저도 불교신앙에서 비롯된 생활습관이나 언어들이 부지불식간에 튀어나오고 있다는 사실은 그만큼 불교가 우리 생활 속에 깊이 뿌리박고 있으며 어떤 의미에서는 아직도 국민 누구나 불교의 정신적 카테고리(catgegory)에서 벗어나지 못하고 있다는 사실을 증명해 주고 있는 것이다.

행려行旅, 기억 속에서 걸어 나오다

글,사진 **김 광 덕**
(사진작가)

인상려강 (印象麗江)

회가(回家), 차마고도로 떠난 남편들은 무사히 돌아오리.

말(馬)아! 자동차에게 적의를 갖지마라. 오직 너만이 고도(古道)로 갔다.

작가노트 ◆

이번 사진에서는 예술성 또는 작품성을 아무런
고민 없이 배제했다. 기억 속에서 나온 많은 사람들...
그들은 오직 순간포착에 머문 외형적 인연이 아니었다.
고단함 속에서 생성된 삶의 태도 그리고 인간 본연의 진솔한 모습
그것이 내 마음을 움직였기 때문이다.

나시족(纳西族) 여인
의 사랑은 애달프다.

행복한 마음속에 따
스한 온기가 담겨있
다.

게임에서 웃을 수 있
는 사람은 오직 한
사람 뿐.

(싱이공원)

오랜 세월을 함께한 부부도 살아온 만큼의 거리는 있다.

오~ 봄이여~ 꽃이여~

툰보고젠

明나라 때부터 살아 온 마을, 깊어진 삶이 있다.

밤이면 붉은등 대신 별들이 불을
밝힌다

골목의 하늘은 손바닥으로도 가릴
수 있고...

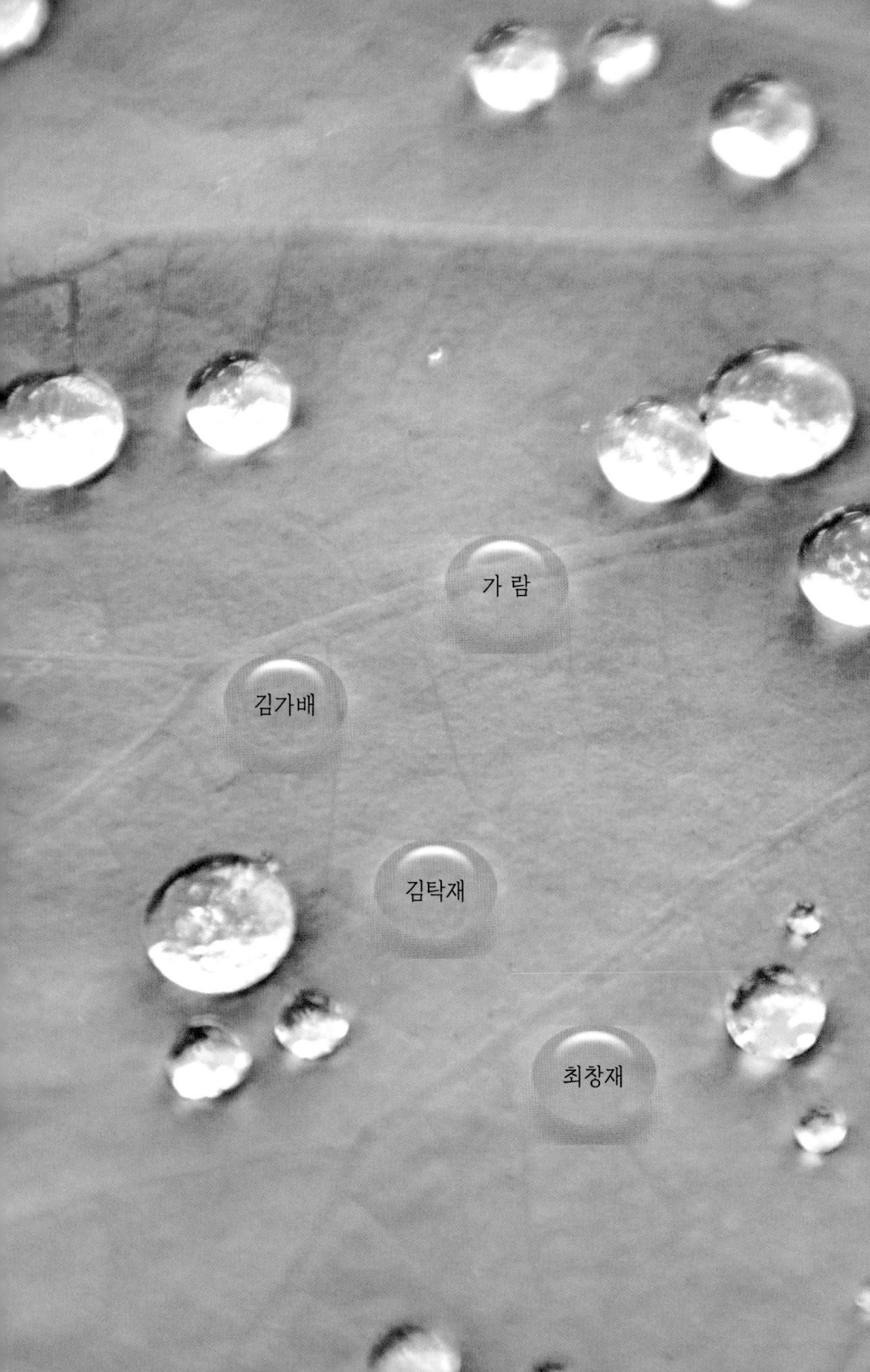

제4부

아침이슬 같은
시를 쓰는 사람들

장재덕

김유조

황정연

별

가 람
(시인, 작곡가)

초가을 밤 산기슭 오두막
자정을 넘어 밤하늘을 보니
은하수가 보인다
몇 년 만에 보는 은하수인가
어릴 적 평상에 누워 보던 은하수가
마알간 밤하늘에 꿈처럼 흐르고 있었다
카시오페아 근처를 보고 있을 때
조그만 별 하나가 반짝이더니
환한 빛을 발하고는 순간속에 사라졌다
빅뱅…
별의 폭발 이었을까
그렇게 또 하나의 별이
수억 년의 세월을 지우고 가는 것일까
시선을 고정시켜 한참을 보고 있는데
다시는 빛나지를 않는다
공으로 돌아간 것이야
무로 돌아간 것이야
수수억년을 살다가 떠나가는 별
저런 별이 나이며 너 일 수 있을까
별로, 별꽃으로 살다가 떠나고 싶다
희뿌연 은하수는 무심한 강물로 흐르고

초독

치악산 산 너울에 가면
맨탕 무위도식 하는 게으름
그냥 하루 종일 산수화 몇 폭
자연과 함께 멍 때리는 삶의 바라기가 된다
바쁜 일상들이 내게 주는 의미는 무엇일까
생존의 연장을 위한 갈구인가
실존의 기쁨을 위한 평온
자연에 내맡긴 가질 것 하나 없는 평안
대저, 필요한 게 무엇일까
고즈넉한 적막의 운을 깨우기 위해 나긋나긋한 음악을 튼다
내 속에서 나를 성찰하는 시간
몇 시간 동안 장르를 바꿔가며 음악은 저홀로 잘난 듯 흐르고
한잔의 곡차를 기울이며
음악에 스스로를 맡기고 시간을 지우는 시간
아무것도 하지 않는 채
물 흘러 또르락 거리는 소리
바로 앞 나뭇가지에 앉아 지저귀는 새의 노래 소리가
나의 존재감을 알려 줄 뿐
누구하나 귀찮게 하는 사람이 없어라
낙원이 무엇이고 무슨 소용이랴
한잔 술에 같이 취하는 음악이 있고, 자연이 안아 주는 포근함
아무 일도 하지 않는 자유로움
게으른 성찰이 친구가 되어 잔을 건네고 있네.
　　　－산 너울: 치악산 가람마을에 있는 작가의 오두막

달의 음악

호젓한 치악산의 밤
라디오에서 클래식 음악이
가을 잎새를 흔들며 적요를 끌어 모
으고 있다
아는 지인의 사연이라도 듣는다면
반가움에 좋으련만…

손 편지를 받아 본 적이 언제 였던가
호숫가를 달빛 받으며 걸어 본 적이 언제 였던가
가을밤을 적시는 상현달이
나뭇가지 사이로 얼굴을 내민다
멀리 있어도 방송에 같은 주파수를 맞추고
같은 음악을 들으며 공감 나눌 사람이 그립다
환하게 빛나는 달을
같은 그리움 안고 같은 시간에
같은 달을 쳐다보며 사연을 띄울 사람이 그립다

오지 못하는 사람이라도
시간과 공간을 넘나드는 마음이야 있으리라
가을의 음악이 달에서 부터 쏟아지고
윤슬에 취해 달빛에 취해
한 소절 음악이 기다림의 너울이 되어 퍼져 간다
가을의 음표가 낙엽이 되어 우수수 떨어지고….

주천 강에 서면

주천 강에 서면
강이 산이 되고 산이 강이 된다
가을이 봄, 여름을 데리고
메밀밭, 수수밭을 지나
새의 등을 탄 나비같이 오더니
고구마 밭 기슭에 진분홍 꽃 한 송이 남겨놓고
억새풀 바람에 실려 겨울 속으로 가더라
가을이야 내년 봄에 또 오겠지만
떠난 정 이별 없이 내년 봄에 다시 올까
현실이 아닌 이상을 자극하며 살았기에
부대끼는 가슴이 사랑이란 걸 몰랐다
감이 홍시가 되고
다래는 말랑말랑 해 져야 맛이 드는데
떫감으로 살아온 삶에
언제나 말랑말랑한 향기가 날까
낙엽 떨군 나목은 죽은 것이 아니다
생멸이 결국 하나임을 알리려
계절은 돌고 돌아서 오고
내가 갈 곳을 이해하려고
무와 유의 간극을 이해하려고
산 너울, 강 너울을 만나러 주천 강에 간다
주천 강에 서면
산이 강바닥에 있다.

풀벌레

울음이 나의 힘이요
존재감을 알리는 나약한 외침이다
시작이 곧 끝인 게 점이지만
세상에 점 하나 남기려고 운다
풀 섶에 몸 숨기면
긴 혓바닥 날름거리는 개구리
넓은 세상 쳐다보려 풀끝에 올라앉으면
물 찬 제비로 소리 없이 날아와
부리로 등을 찍는 새
나에겐 나무 등걸이 하늘이요
풀 덩굴이 집이다
살기위해 가시덤불에 숨어서 하늘을 노래하기도 했다
한날 한날을 부지하는 목숨
캄캄한 황혼의 소용돌이
밤이 되어서야
보는 이 없는 밤이 되어서야 목 놓아 울어버린다
달빛에 설움 삼키며
나약함이 하냥되어 하염없이 울어버린다.

이집트로 가는 길 1
- 네페르타리에게

김 가 배
(시인)

먼 생으로부터 험한 산맥과 광야를 흘러 다녔을 나의
생애 속에 당신은 무엇이었을까
마른 가슴 한가운데 당신의 모습을 간직한 내 바람의 생애,
떠돌던 거리 낯선 유리창마다
나를 향해 오만하게 너는 웃고 있었다
그대가 섭정하던 땅,
빛이 머물던 세상 위의 세상

네페르타리 태양의 딸이여
열사의 흙바람에 익은 살결은 황금빛이다
카르낙 신전 람세스의 거대한 석상 아래,
아브심벨의 찬연한 돌기둥 아래
가는 허리로 바람을 가르는 당신의 모습
저 거룩한 나일의 문을 여는 아문신은 알고 있으리라
불타는 모래언덕 넘어 나일의 물에 귀를 씻고 있는
그대의 아름다운 모습을…
때로 오벨리스크의 그늘 속을 산책하던 神들의 그림자 뒤로
터키석 빛깔로 번지던 눈썹의 그늘
높은 화관 위 범람하던 나일보다
넘치던 빛 위의 빛

네페르타리 태양의 딸이여

금빛모래언덕 넘어 경배하던 당신의 백성들
건조된 내 기억들도 출렁이는 나일의 물 위를 미끌어 진다
사막의 모래 속을 적시던 나일의 물처럼 빛나던
그대의 생애만큼이나 긴 시간의 늪을 통과한
낡은 파피루스 위에 적힌 상형문자
신전의 돌기둥 위에 새겨진 빛과 바람의 서사시
내가 보낸 그리움의 편지들!

낡은 파피루스 위에,
카르낙의 제단 앞 하늘을 받치는 거대한 돌기둥 위에
음각된 아름다운 부호들,
아직도 해독하지 못한 나의 사연들

네페르타리 태양의 딸이여
나의 경배는 아직 끝나지 않았다
깊은 잠에서 깨어 걸어 나오라
저 기막힌 부호들이 만들어 내는 황금빛 옷을 입고
살아서, 살아서 걸어 나오라

거대한 신전의 기둥들이 불러 모으는 삼각 그늘
주술의 별자리 아래
나는 오늘도 그대를 기다리고 있다
당신의 환생을 기다리는 가슴 한 가운데
황금빛 강물이 넘치고 있다

이집트로 가는 길 2
-투탕카멘의 황금마스크

깊고 긴 시간의 늪을 빠져나온 돌 속 물무늬들
햇볕과 몸을 섞는다
갇혔던 건조한 눈빛들이 강물과 섞인다
투신하듯 떠다니는 금빛 돌 속의 물무늬
섞이고 헤쳐지면서 살아나는 무수한 별빛
파피루스 낡은 흔적 위를 파헤치던 모래바람들
사막을 건너가는 모래바람이 발목을 휘감는다
무리진 낙타 흰 등허리에 걸린 구름 한 점
아직 돌아오지 못한 혼령들이
모래알을 씹으며 부릅뜬 눈으로 삼각제단을 넘는다

달의 뒤편을 돌아온 여인들이 물을 긷는다
물 항아리에서 건지는 달빛무늬들
완전해서, 너무 완벽해서 애처로운 젊은 왕이
비로소 눈을 뜬다
씌워진 겹겹의 황금의 굴레
수천 년을 건너온 금빛 눈동자
아직도 빛나는 그대의 긴 칼
아름답고 그윽하다
긴 목덜미에 황금빛 달빛이 서린다

순금의 옷섶 갈피마다 흐르는 강물 소리
아물지 못한 기억이 사막 한가운데 꽃으로 피어나고 있다
왕을 알현하는 발길들이 질러대는 탄성이 무지개로 뜬다
여인들이 길어오는 나일의 물들이 비로소 푸른 물길을 내고
물길들이 찍어내는 별무늬 금빛 문장부호들

누가 저 찬란한 돌기둥의 높낮이를 셈할 수 있으랴!
이 황막한 모래사막에 피던 한 송이 가시 선인장 꽃
겹겹의 황금빛 휘장을 닫고 침묵한 왕이여
어린 낙타 목쉰 울음처럼 박물관 한가운데 누워
곤한 잠에서 깨어나지 못하는 젊은 파라오여
긴 목 줄기에서 새어 나오는 가래 섞인
가쁜 숨소리가 고막을 찢는다
당신을 알현한 빛바랜 낮달이
나일 강에 야윈 눈썹을 헹구고 있는 왕들의 계곡
그 황막한 골짜기 모래바람이 길을 잃고
비틀거리며 당신의 단잠을 깨우고 있다

꿈을 꾸는 보석 같은 그대의 눈동자
경배하는 행렬 속에 내 그림자도 길을 잃고 흔들린다
머나먼 여로, 그 긴 잠에서 아직도
깨어나지 못하는 젊은 파라오여
그대가 건너온 길을 나는 묻지 않는다
나는 그대가 걸어갈 길을 묻지 않는다.

이집트로 가는 길 3

– 스핑크스

사막에 열리는 신들의 무도회
눈 부릅뜨고 바라보는 모래언덕 넘어 노을이 탄다
깨 진 거울처럼 빛나는 사막의 숨은 길
길속의 길을 묻는 시선들
겹겹의 회랑을 돌아서 오는 지친 춤사위
물길은 보이지 않는다
하늘로 오르는 길은 보이지 않는다
깨어나지 않는 파라오의 긴 잠을 지키는 피라 밑
삼각그늘이 던지는 멀고 또 다른 세상
땀방울이 옷섶에 떨어진다
신비한 미로를 따라 걷는 건조한 발자국에 고이는 소리들의 눈물
기다림은 이리도 긴 세월 녹슬지 않는 모래로 쌓여
터키석 빛깔로 나일을 적신다

흙바람 속에 파묻힌 내 기나긴 생애
저 열사의 모랫길에서 지친 신의 그림자 만나거든
이 무거운 세상의 인연 다 내 등위에 올려놓으라
목숨의 불꽃타고 있는 모래언덕
피와 땀과 눈물, 바람의 궤적(軌跡)처럼
다 타버린 낡은 등뼈를 걸치고
나는 이곳을 지키고 있다

들으라! 세상을 향해 던지는 내 침묵의 포효를
헐은 늑골을 추스르며 눈 부릅뜨고 지켜야한다
나는 일어서야 한다
발밑에 묻힌 나의 날개들!
모래 속 깊이 묻은 두발을 짚고
감추어진 빛나는 날개를 털며 일어서야한다

부활하는 것들은 다
이곳에서 다시 출발해야 한다
신들이 잃어버린, 신들이 버리고 간
빛 속의 얽힌 세상
나는 잃어버린 시간을 지키고 있다

나일의 깊고 푸른 살 속을 헤치고 온 바람은 알고 있다
내 피울음의 소리들을 알고 있다

떠나야 할 시간을 알리는 저 종소리
아직은 아니다 아직은 아니다
헐은 늑골을 추스르며 눈 부릅뜨고 지켜야한다
부활하는 것들은 다
이곳에서 다시 출발해야한다
신들이 잃어버린
신들이 버리고 간
빛 속의 얽힌 시간을 나는 지키고 있다

이집트로 가는 길 4
-나일강

광활한 우주의 심장에서 연원한 강물
우주의 뼈 속까지 흘러가 수천 년,
인류의 역사를 적시고 스며들어
영원을 꽃피우는 나무가 되었으리
영원을 열매 맺는 나무가 되었으리

돌을 쪼는 노예들의 정 소리에 눈을 뜨는 아침
새벽을 울리는 망치소리
푸른 몸에 문신을 하듯 젖어오는
이 찬란한 여명의 시간
가마득한 시간을 이어주는 위대한 신의 젖줄
그대 나일 강이여
당신의 푸른 살 속에 잉태하는 무릇 생명들
수천 년을 이어온 거룩한 생명의 씨앗들
씨앗들이 꽃을 피우고 열매를 맺고
역사의 지평을 넓혀간다

말없이 수 천 수 만 날 넘치게 흘러
관통하는 땅마다 피워 낸 역사의 붉은 꽃
이 열사의 땅을 기름지게 하였나니
당신이 낳은 역사의 현장마다
당신의 푸른 기운이 스며들어

이 찬란한 자랑스런 현장을 이룩하였나니

저 위대한 카르낙 신전을 낳았고
강인한 늑골을 지닌 스핑크스의 울음을 삼키며
하늘로 오르는 길
쿠프왕의 자랑스런 피리 밑을 세웠네
위대한 당신의 발음마다 꽃들 피어나고
스며드는 대지마다 꽃을 피우던
그대가 써 가던 인류의 위대한 문명사
당신의 몸에도 저 아름다운 상형문자로
문신을 하고 싶다
햇살에 반짝이는 아름다운 모습가까이
우리 역사도 따라 흐르고
우리 네 바튼 삶도
당신의 길을 따라 여울져간다

강물에 몸을 씻는 저 여인들
사막을 건너온 낙타의 목을 축이던 속살
물길은 삼각주를 이루며 바다로 간다
몇 바퀴 순환의 대 역사를 마치고 돌아와 누운
아름답고 위대한 강이여
이제 다시 일어나라
경배하는 저 이교도들의 잠을 깨우라
우주의 정맥을 스쳐온 위대한 강물
다시 솟구쳐 올라 당신의 백성들이 경배케 하라
위대한 당신을 경배케 하라.

김유조

맨해튼 원경

김 유 조
(소설가)

펜실베이니아 고속도로에서 맨해튼 달려들며
얽힌 도로 섞힌 레인에서 곡예를 하다보면
벗겨지고 덧칠된 표지와 줄까지 겹쳐
난망한 망막은 판단 정지로 들어가지
거미줄 속으로 걸려 들어가는 한 마리 나방의 처지
절체절명에서 파닥이며
방향 없는 날개 짓인가
무명한 뉴요커들의 동선은 어떨까

마천루와 마천루 사이에 걸린
거미줄 스케줄의 씨줄과 날줄은
일탈의 유혹조차도 금제로 줄쳐놓은 곳

비내리는 브루클린 다리

펜실베이니아의 산야를 달려온 소박한 내 마음은
얽힌 고속 길을 물레삼아 뽑아낸 실타래 정서로
쉬엄쉬엄 뜨는 뜨개질이나 하고 싶다

무딘 대바늘 두개와
한때의 따스함 끝에 다시 풀려서 되감아진
중고 실타래 두엇
온스로 재는 무게도 불분명하고 색갈도 바랜 재료이지만

졸며 바늘 코 놓쳐 다섯 손가락 잘못 달면 어때
실 뭉치 형상대로 벙어리장갑이 더욱 따뜻할 거야
그냥 두루뭉수리가 좋아
산다는 게 다 그런 것이지
다섯 손가락만 뭉쳐서 따스해도 좋아
가끔은 집게손가락 못써 아쉬워하면서도 말이야

희망봉 전경

암울했던 사춘기 세계지도 그리며
세계를 깨우치던 때
어둠 속 자위의 대상은 희망봉
희망이란
백지도에 색칠로만 감당되던 황홀경

나라를 목 빼어 바라봐도
고개 숙여 나를 둘러봐도
잿빛 시공간만 번지던 시절
누구는 나라를 떠나고
아아 자신을 떠나고
남은 영혼은
그때 흔한 흑백사진 로렐라이 언덕의 소녀상과
세로로 흘린 하인리히 하이네의 싯귀 아래
희망봉 희망봉 세 번씩 써놓은 내 까칠한 펜촉 글귀
까맣게 지나온 시절 끝에
그 희망봉에 서본다

500년도 더 전, "대 항해 시대"에 바틀로무 디아스가 발견하고
바스코 다 가마가 대 선단으로 항해한 이래
선원, 상인, 노예와 병사들, 난민과 이주민들이
먼 바다에서 먼 희망을 걸고 지나쳤던 희망봉
Cape of Good Hope 희망의 곳

Cape Point 등대언덕과 함께하는 곳 희망봉
대서양과 인도양이 만나는 곳

내 오랜 희망봉의 전경은
고운 모래 푸른 숲이었는데
까마득한 날들의 끝에 찾아와 보니
대서양과 인도양이 쪼개지는 거친 자갈밭
흉포한 바람이 주먹 같은 돌들을 날리고
거친 야생화 몇 올만 풍경을 만든다.

아
희망은 항상 내 심장 뜨거운 곳에 있어서
그렇게 식지 않고 이어왔음을
희망봉 검은 파도 앞에서 살피는
해후의 내 발자국.

그리고 바람이 되는 거야

鼓岩 김탁제
(시인)

고즈넉한 새벽 잠 깨우는
팔랑팔랑 날리는 낙엽소리
가을바람에 실려 온
시음詩音 뜯는 귀뚜리 울음에
문풍지 파릇 떨이 듯
가슴팍 둘레에 촉촉이
젖어 든 꼬리 긴 기적소리여

캘리포니아 계절풍에
이렇듯이 횡 실려 가는데
또 한 겹 볼품없이 쌓인
이방인 나이 태를 어데 숨길 고
까무룩 묻혀버린 옛 흔적들이
사르르 낙엽에 물들어오네
창명에 떠도는 꿈 조각들
엘에이 외지外地의 초야에 누어
그리고 바람이 되는 거야.

꽃 속에 내가 피네
-세계적 꽃 단지에서

노랑~ 빨간~ 흰백~ 주황
미나리아재비 꽃,

4월의 찬연한 햇살을
볼웃음에 머금고
흐드러져 피었나니

L.A에서

플로라*의 춤사위가
오색영롱한 물결이여
꽃~꽃 속에 내가 피네

어느 영문 모를
연인의 환생이기에
내 마음 얼싸 안아
새날 빛 연가戀歌 부르려
들바람에 너울 노는가

가히 황홀함에 눈멀어
까무룩 초점 잃는 렌즈lens
꽃~꽃은 제바람에
살며시 혼살에 스며
지천으로 피여 나는
칼스배드** 화훼단지
꽃~ 꽃의 파노라마여~~

홀연히 꽃 속에 내가 피었네,
미나리아재비 꽃***이 되어...,

---

* Flora-희랍신화 '꽃의 여신'
** Carlsbad City L.A – 'Flower Field' –
*** Ranunculus-4.5월 캘리포니아 계절 꽃

김탁제

라푼파도라

－바다분수 Raunpadora

온다! 저기 큰 파도가 온다! 들이닥친 노도를 향한 구경
꾼들의 함성에 포효하는 노도는 암벽을 사정없이 후려친
다 멕시코 땅을 일구고 살아진 에즈텍* 후예의 환생인 듯
바다는 몸을 날려 암벽 틈 동굴로 숨어들어 벽천碧天을
향해 치솟아 오른다 태고의 찬란한 에즈텍의 영화를 되
찾으려는 라푼파도라의 위용 앞에 관중은 환호한다 와!
와!

이 장엄한 관경을 조화롭게 각색하려는 노 악사의 바이
오린 연주의 감동에 적선함 동전이 쌓이면 환생한 옛 도
도새Dodo**가 오백년 전의 옛 둥지로 부지런히 물어 나
르는 환상은 악사에게 멜로디와 라푼파도라 사이에 무지
개를 펴게 한다

저기 큰놈이 닥아 온다! 관객은 열광 한다 우르르 꽝! 이
십 미터 물줄기를 뿜어내는 장엄한 라푼파도라~~ 꿈결
에 굉음을 듣는다

---

*   아즈텍Aztec: 멕시코 원주민 (조상이 한민족의 DNA와 일치 한다는 고증.)
** 도도새 Dodo: 날지 못한 멕시코 새로 수백년 전 멸종.

시작노트: 멕시코 엔시나다Ensenada지역의 세계 유일한 해안
의 라픈파도라 형성은 파도가 협소한 바위 틈바구니로 빨려 들
어가 압축된 공기는 천장에 뚫린 구멍으로 밀려 올려 분수가
된다. 스페인어 라푼파도라- 바다분수

모하비사막의 선인장 꽃

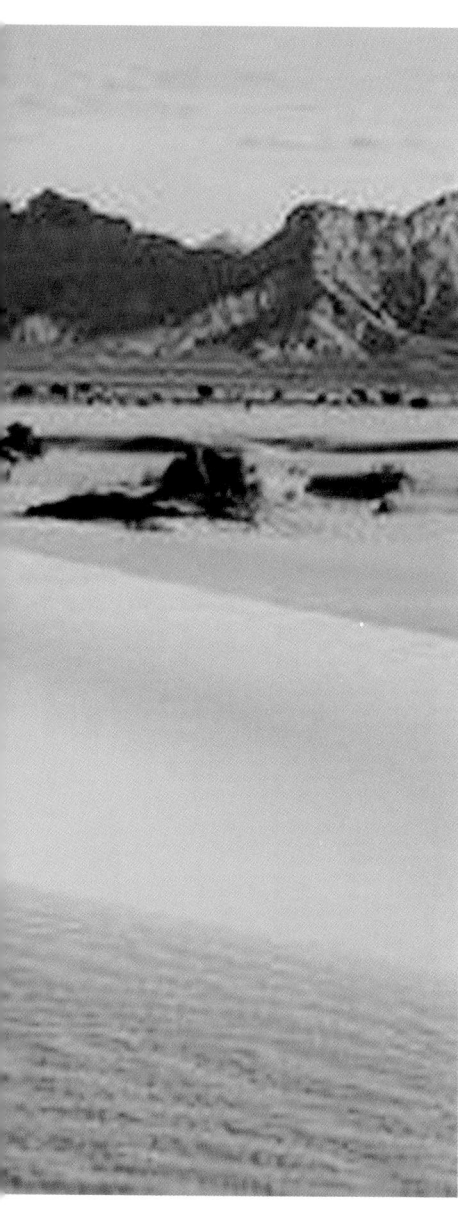

한 뼘의 햇살을 얻고자
곧게 하늘 우러르는
화사한 선인장 꽃
황금빛 모하비 사막*
선인장 바늘에 찔려
몸부림치는 바람에
밀려다니는 둥굴레 풀**

황량한 모래들판에
겁 없이 피려는지
하필이면 기피하는
4월의 자인함***을
알고서야 그러하랴

별똥 몇 개 떨어 저
잠자리 찾는
영혼 없는 사막에
씨앗을 뿌리려는
줄곧은 너의 열정
가히 선인장 꽃이로다.

* Mojave Desert_캘리포니아 주 남동부
** 둥굴레 풀_사막에 굴러다니며 씨를 뿌린다
*** 4월은 잔인한 달_엘리엇의 시 '황무지' 중에서

소묘
– 오석烏石 그림

보령, 그윽한 기슭
한 자락에 묻혔던 오석*
까막새가 부화한 돌이라네

검정 윤기 흐른
흑요석에 아연 매혹된
목 짧은 시인은
향원에 오석 비 세운 곳은
하늘 문의 청청 벽파에 떠
부유하는 섬 보길도**여라

유원한 고사古史에 묵향
고즈넉이 숨인 부용마을***
고산윤선도孤山尹善道****의
'어부사시사漁夫四時詞'
읊조리던 세연정*****
지척에 세운 시비의
이루 초라함이어라

---

*　烏石: 오석, 검게 윤기 흐른 까마귀 돌, 원산지 충남보령
**　甫吉島: 완도 청해진 보길도– 고산 윤선도 유적지
***　芙蓉里: 부용리, 고산의 은둔마을
****　孤山: 고산 尹善道의 호, 조선중기 문신 중 한시의 대가
　　　보길도에 운둔 시 漁父四時詞(어부사시사)를 펴냄
*****　洗然亭: 세연정, 고산의 화려한 유적–국내 3대 정원

'문득 생각이나거든'
가이없는 시제詩題 마냥
누구를 기다림인가
창명滄溟*****에 뜬
어느 한 점의
묶인 시간처럼
시인은 홀히 내 영혼
시비에 옮겨 두고
불원 향원에
귀소하려 함이더라

해조음*******에 실려
초라함 가리고
까지노을 품은
보길도 물새의 고장
그 한 자락에
의연히 오석이 담은
한껏 정가로운 소묘素描로세.

시작노트: 향리,
시비 세워 불원
귀소를 준비하며.

***** 　滄溟: 창명, 드넓은 청청한 바다.
******* 　海潮音: 해조음, 귓전에 울인 파도소리

억새의 춤

장 재 덕
(시인)

바람이 부는 날
은빛 허망을 춤추며 날린다

봄 민들레만큼
가을을 보내기 싫다

가시려면
깜장 대머리 민들레가
흉볼 수 없게 가시라

알몸은 부끄러움 아닌
공생위한 상생이다.

장재덕

시대의 조류

흐르는 세습(世習)에 따라
시대의 볼모에 잡힌 채
올곧게 달렸다

잠자리가 하늘에 뱅뱅이거나
봄바람에 출렁이는 보리밭도 못 봤다

산업화 민주화 선진화 길을 따라
눈 옆 가리개 하고
빠르게 멀리만 왔다

나 없는 지난 세월에
허명虛名만 높다

소나무

강을 거슬러 오르는
난향을 쓰다듬어 주었다

하늘에 버티어 선
구름을 풀어주었다

감도는 담쟁이 덩쿨은
젖 물려 단풍을 피웠고

겨울날 하얀 눈보라
수북이 앉혀 푹 쉬게 했다

달빛 젖은 선구자는
푸른 기상을 먹고 용트림 한다

진짜로 멋있는 것은
그 밑자리가 단아함이다

장재덕

맘 편하게 살기

친구들 주섬주섬 모여
술 꽃 피는 날

노랑 지지미에 핀 꽃잎이
하얀 술잔에 어린다

거머쥔 술잔의 행복이
지지미에 둘러앉았다

늘 이렇게 살래
오늘을 마냥 추억하면서

높다란 가을하늘이
영근 푸름을 떨군다.

먹시

눈 쌓인 가지 끝에
검황색 홍시

햇빛 머금은 황금덩이에
달빛태운 먹물로
흑점을 찍었다

자식 걱정 응어리가 된
저승꽃인가

초롱불 초승 달림이
시린 가슴 보듬어 간다.

황 정 연
(시인)

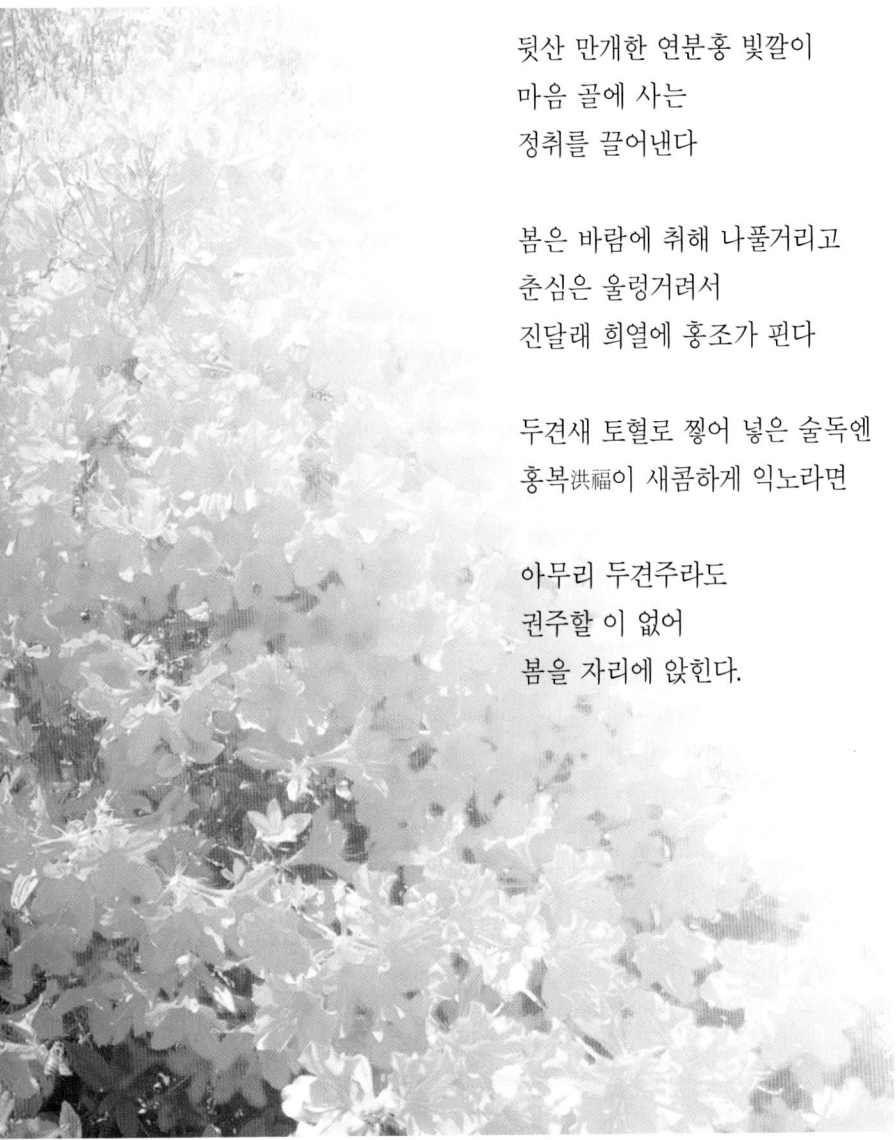

두견새 우는 봄

뒷산 만개한 연분홍 빛깔이
마음 골에 사는
정취를 끌어낸다

봄은 바람에 취해 나풀거리고
춘심은 울렁거려서
진달래 희열에 홍조가 핀다

두견새 토혈로 찧어 넣은 술독엔
홍복洪福이 새콤하게 익노라면

아무리 두견주라도
권주할 이 없어
봄을 자리에 앉힌다.

산 벚 꽃

매년 사월 이십팔일쯤이면
부안 내변산은
무릉도원을 펼친다

사자동 계곡을
신록이 하 분칠하면

연미복 산 벚꽃 입고
봄비 탱고를 춘다.

비 내리고 바람 불면
가는 봄 서러워
신기루 눈꽃을 날린다

시심이 싹틔운 열정에
봄날이 여물어가는

새까만 버찌 달달한
변산에 살어리랏다.

생선회

살을 저민 감성돔의 삶이
껌뻑이고 살랑이며
단아하게 앉아있다

경솔한 회한이 감도는
냉혹한 돌방석이다

신음과 비명이 뒤엉켜
발라낸 나머지가
냄비 속에 끓는다

활기찬 웃음 긴 대화로
행복을 음미한다.

시월에 담긴 풍경

황금들녘 논둑을 걸으면
노랑메뚜기와 그 사촌들이
산지사방으로 튀고
빨강고추잠자리는 바쁜 시월을 맴돈다

농주의 취기에 풍년가 노랫가락이
하얀 뭉게구름에 오르면
까만 볼이 어느새 붉게 물든다

정염情炎이 타는 시월의 들녘이다.

논둑을 베고 자던 페달 없는 자전거는
찬 서리에 오갈 들고
기홍旣紅의 빛바랜 단풍잎은
아린 시월을 부둥켜안고 구른다

해질녘 외기러기 노랫소리에
긴 목 잠기고
구들방 삼년해소咳嗽 바튼 기침이
구절초 허릴 꺾는 그 밤

11자 송곳니 십일월에
시월이 물려갔다.

어설픈 초대招待

담 넘어 차오른 설렘이
환몽의 기대가 되어
허공에 메아리친다

마음 밭 수확한 미소로
오시라 고대한다

모란이 눕기 전에
저만큼 오시거든

능소화 가녀린 허리
눈길에 내어주런다.

신지도

최 창 재
(시인)

나라 땅 끝자락
땅끝도 지나간 길끝이 바다와 마주쳐
철썩이며 하늘을 부르는 자리

상앗빛 백사장 품어 않은 코끼리가
끊길 듯 펼쳐진 수평선 이어가며
태곳적 꿈에 젖은 영혼의 땅

바다가 섬을 − 섬이 바다를
서로 보듬은 뜨거운 정열에
태양마저 눈부시게 일몰과 일출을 맞는 곳

해신 장보고의 웅혼한 뜻도
충무공 성웅의 불멸의 눈길도
이곳을 밟지 않고는 펼쳐지지 못하였으리라

조상의 넋이 머물고
나의 영육이 살을 붙이며 갯내음 타고 영글던
산과 들 그리고 바다

출렁이는 풍랑을 심연에 잠재우고
그리움의 역사 되어
등줄기에 밀려드는 풍요의 물결

해당화 꽃으로 피어나 용솟음칠 시간들
어찌 바라보지 않을 수 있겠는가
어찌 사랑하지 않을 수 있겠는가

대륙과 대양이 함께 시작하는 이 자리에서
그대 풍운의 가슴속 꿈과 사랑이
태풍처럼 하늘을 채우리라

* 신지도 : 전남 완도의 명사십리 해수욕장이 있는 섬

여름 길 끝에서

밤사이 잉태된 폭염이 터지려고
용트림하는 아침을
토닥이며 달래는 빗줄기에 맡겨놓고
서울을 떠났네

생각하면 머나먼 길
알고 보면 지척인 길
조국의 땅덩이 길지 못함을 탓할 새 없이
풍경 쌓으며 닿은 남도 길

청자야
땅끝아
빙그레 웃는 섬아

길끝은 거기 그렇게
낙원을 노래하는 신의 혀끝 되어
희망을 퉁기며
하늘과 바다에 안겨 있었네

바다가 ― 하늘이 ―
길끝을 두고 다툼질하듯
때로는 미소로 때로는 거칠음으로
서로를 부대끼며
애증의 볼 부벼대는 바위틈 사이

오고 또 오는
해풍 같은 그런 사랑에
발걸음 다듬어

아침 햇살에 새겨놓은 이름 있음에

갈매기 날개 치는 소리 들으며
흩날리는 안개비 겨드랑이 스칠 뿐
길끝에 여름은 없었네

심연에 잠긴 겨울을 깨우듯
하얀 포말 일구며 밀려나간
섬 위에 앉은 청아 — 산아
뭍의 향기로 크는 너의 그리움
별빛 되어 쏟아지고

구름꽃 피어나는 해초 사이로
자꾸 보아도 낯설고 청순한 물살
노을빛으로 물들어 가는데

배 그림자 지나간 여름 없는 그 길로
다시 오마고 뱃고동 울리는 해변에
여름은 가고
여름은 없었네.

죽마고우

파도 소리에 세상 문 열려
물결 위에 꿈을 키우며
그 바다 해우소 삼아별을 헤던 친구야

동녘에 뜨는 해
석양에 물든 해가 다른 줄 알던 너를
문턱 높은 병실에서 만나는구나

나 왔다 — 하는 인사에
오 — 반가운 음성 눈물 고이며
한 서린 한마디 — 어쩔 수 없어

온 몸을 파고드는 저승 세포를
숙명으로 맞아야 하는 서러운 시간
억장이 무너진다

행여나 하고 찾은 도시에도
바람 불고 구름 흐르지만
돌아갈 곳 고향밖에 더 있겠니

떠나가는 육신 붙잡고
빌딩 숲 헤매어본들
메케하게 쏘아대는 매연밖에 더 있겠니

휘황한 물질문명 허공을 채운들
사장나무에 울어대는
갯바람만 하겠니

돌아가자 — 돌아가
넉넉한 바닷가 몽돌 밟으며
고향 가서 웃어보자

세상 여행 마치고

사랑의 줄기에 매달려
쌍 다리 서로 얽힌 인연이 있어
보고 듣고 맛보고 살아온 세월의 흔적
한 치 속은 모를지라도
보면 누구나 알아주던 그대
휘어질까 상처 날까
닦고 바르고 입히며 마른자리에 두었던 것

함께 있을 때 존귀함은
그대가 버리고 가시니
쓰레기장에도 버리지 못하는
세상의 슬픔인 것을 −
칠성판 다리 놓인 적막의 강을 건너
세상 여행 마치고 돌아가는 길에
가지고 가시지 왜 두고 가시나요?
일생을 바쳐 아끼고 아끼던
그대 그대의 것을

행려行旅, 기억 속에서 걸어 나오다 (2)

글,사진 **김 광 덕**
(사진작가)

블라디보스톡 독수리전망대

아이들의 함성이
혼(horn)에서 울려 퍼지는 소리처럼 아름답다.

기도하는 여인의 뒷
모습에서 신(神)을
닮은 어머니의 모습
을 본다.

블라디보스톡 동방정교회

그곳에는 빵 만큼이
나 따뜻한 마음을 가
진 행복한 여인이 있
다.

'스빠르티브나야' 시장

먼지 앉은 구멍가게,
그곳의 게으른 고양이
는 절대 팔리지
않으리 . . .

블라디보스톡 '스빠르티브나야' 시장

Sikachi-Alyan

아무르 강

억겁 세월의 시공을 넘어 나나이族
의 남자를 만나다,

나나이족의 신(神)의 형상은 인간적이다.
그분도 고기를 잡으며 강에서 사셨을까?

물위에 사는 그들도 꽃신을 신고
가야할 곳이 있다.

물고기에서 온 나나이族은 죽어서
도 물고기로 돌아간다.

블라디보스톡

거리의 무심한 표정의 사람들,
그들도 웃고, 울고, 넘어지며 여기까지 왔을 것이다.

아이들은 무한한 가능성으로 가득하지..

루스키섬의 맹세

집필진 약력

장 덕 환

교수/정치학박사
성균관대학교/경기대학교 정치전문대학원
한국정신문화연구원/한국국제정치학회 부회장
저서:『한국의 4월 혁명』,『한국의 독도』
　　　『현대의 정치학』,『현대외교 정책론』등 다수
현) 세계여행작가협회 회장

전 규 태

시인/여행작가/문학박사
연세대학국문과교수/하버드대 엘친교수/컬럼비아대학/시드니대
학 객원교수/호주국립대 한국어학7년 강의
수상: 현대시인상/PEN문학상/국민훈장/국가공로상 등
저서:『단테처럼 여행하기』, 세종기획 추천도서 외 (100여권)
　　　세계여행작가협회 고문

김 유 조

소설가/평론가/문학박사
현) 건국대명예교수(부총장 역임)/서초 문인협회 회장
수상: 학술원 우수도서 상/헤밍웨이 문학상
　　　문학마을 문학대상/서초문인협회 소설대상 등
저서: 소설집3권/평론집1권/학술 및 번역서 등 다수,
현) 미국 소설학회 고문(회장역임)/문학의식-세계한인 작가연
합 공동대표/한국문협/펜클럽/한국소설가협회 윤리위원 회원/
세계여행작가협회 부회장

김 장 진

여행가/영국 런던(London)
런던대학교 역사학과 졸업
한영문화원장/런던한인학교 교장 역임
영국한인회 회장 등 역임
현) kingston Hospital NHS Foundation Trust에서
    Governor로 봉사 중
현) 세계여행작가협회 자문위원·영국 지부장

전 효 택

교수/공학박사/수필가
현대수필(2014) 등단/현대수필 및 에세이스트 이사
서울대학교 에너지자원공학과 교수/명예교수
세계응용지구화학 학회 석학(Fellow)회원/한국공학한림원 원
로회원.
한국문인협회/서초수필문학회/현대수필문인회 회원
세계여행작가협회 자문위원·편집위원
E-mail : chon@snu.ac.kr

남 정 호

저널리스트/독일 뮌헨(Mun chen)거주
언론인/한국일보기자/코리아타임즈기자/
한국일보 베를린 특파원/서울신문, 세계일보 프랑크푸르트 특파
원/시사 IN해외 편집위원 역임
현) 재외동포 언론인협회 고문
    세계여행작가협회 독일 지부장

김 연 수

생태사진작가/기자
포커스뉴스 사진영상국장/중앙일보/문화일보/한겨레/서울신문
편집국기자 역임
한양대 사회대 미디어 커뮤니케이션학과 겸임교수
개인전: Waiting for~ 김연수 개인전 외 5회 전시
단체전: 환경재단 하나뿐인 지구, 외 13회 전시
출판:『사라져가는 한국의 야생동물을 찾아서』/ 환경부 추천도
서, 외 6권
수상: 한국사진기자협회 보도사진전 금은동, 외 6회 수상
 한국기자협회 이달의 기자상 7회/한국사진기자협회 이달의 기
자상 8회 수상 등 다수 수상
세계여행작가협회 자문위원

손 선 혜

여행가/저널리스트
영국 뉴 몰든(NEW Malden)거주
이화여대 영문과 졸업
영국 한인여성회 고문/영국영한회 고문
민주평화통일 자문위원
현) 유로저널 칼럼니스트
　 세계여행작가협회 자문위원

유 성 봉

시인
한국불교문학 신인(시 등단)
국가공무원 정년퇴임
모범공무원 국무총리상 수상
다수 문예지에 작품 기고
세계여행작가협회 회원

이 민 홍

교수/인문학 박사
성균관대학교 인문대학장·대학원장/한국시가학회 회장
/한국고전번역원 이사장 등 역임
주요저서; 『사림파문학의 연구』·『조선조 시가의 이념과 미의
식』·『한문화의 원류』·『한국민족악무와 예악사상』·『한국
민족예악과 시가문학』·『맹자정치를 말하다』·『한국민족 악
무사』등 18권과 학술논문
120여 편, 논설문 100여 편 등이 있다.
현) 성균관대학교 명예교수/ 세계여행작가협회 고문

유 진 순

시인/약사
이학사/교육행정 석사/약국경영
사회교육위원회 교육위원장
평통자문위원 자문위원 역임
국제Lions Club 354-A지구 부총재 역임
현) 내마음의 편지 고문
세계여행작가협회 고문, 편집위원

김 가 배

시인/수필가
한국문협(사)부천지부장/수주(변영로)문학제
운영위원/부천신인문학상 운영위원장 역임
시집: 〈가을 정거장 〉외 6권
활동 - 한국문인협회/국제 펜 한국본부회원
　　　'여행작가' 취재작가 편집위원
　　　세계여행작가협회 편집위원

芝堂 이 홍 규

시인/소설가
'우리문학' 시/전남도민일보 신춘문예 소설 당선
광주광역시 교원연수원/무등시립도서관 문학강의 등
수상: 국제문화교류회 문화교육상 문학부문, 외 5회
시집:『달빛 낚기』『임 바라기』등 4권
　　　전라도 사투리 서사집『어머니의 편지』
소설:『도시의 불빛』/산문집:『생각나들이』
시창 작론집:『시는 아름다운 마음의 거울』
광주광역시 문협 시분과 회장
한국문인협회/세계여행작가협회 고문

김 탁 제 Lawrence Kim

시인/수필가/미국LA거주
2003년 월간 순수문학 수필 등단
2004년 계간 문예운동 시 등단
수상: 국제펜한국본부 미주펜연합회 문학상
　　　한국문학진흥재단 암웨이청하문학상
시집:『문득생각이나시거든』
국제펜한국본부/미주한국문인협회/미주시인협회
재미수필가협회/회원한국문인협회 회원
세계여행작가협회 회원

최 윤 정

시인/여행작가
'문학과의식' 신인공모 시 등단
한국문인협회/새흐름문학 동인
격월간 '여행작가' 편집위원
저서: 세상밖으로의 슬픈여행 2인 공저
세계여행작가협회 부회장

최 건 차 choi keon cha

수필가/목사
筆名: 순담淳潭
한국수필등단/ 한국수필 신인상 수상
日本고베출생/참전국가유공자육군대위
실크로드 탐사단장 역임
저서: 진실의입 외
크리스천문학가협부회장/Daum카페 순담홀
한국문인협회원/세계여행작가협회 회원

가 람

시인/작곡가/대금연주가
아호: 죽현당/본명 이진숙
수상: 한국시인협회 작품상/매월당 문학상 외
시집:『혼자된 시간의 자유』『시나무와 단배 꽃』 『담배』,
『Poem Tree&Cigar Flower』
활동-한국문인협회/한국현대시인협회/국제펜클럽
   회원/세계여행작가협회 편집위원

장 재 덕

사회봉사자/사업가
민주평화통일자문위원회 자문위원
민족사랑운동본부 총재
오천사운동본부 중앙회 총재
현대정치발전연구원 정책연구위원
저서: 『독도는 한국영토』 『ECO경영을 위한 행복 위트』공
저 등
세계여행작가협회 감사

오 흥 범

교수/수필가
학점은행제 법학부 겸임교수/운암평생교육원 학생주임교수 겸
외교통상부 소관/한중경제문화친선협회 경인지점
장/중국요령성 본계금정집단중개유한공사 주한수석대표/풍성
고속관광 주식회사 대표이사/사장
현) 문화관광신문(주) 부회장/태화교육복지연구원
　대표/세계여행작가협회 자문위원

황 정 연

시인/ 아호 宣峰
경의선문학 시 등단
경의선문학 부회장
한국인물 연구소 이사장
사)종로문인협회/사)통일미술협회 이사장
세계여행작가협회 부회장

김 정 아

여행가
컴퓨터보습학원 경영
세계여행작가협회 회원

김 광 덕

사진작가
1950년 대구 출생
삼부토건(주) 퇴직
고양 사진 연구회
모두투어 여행사진 공모전 수상
세계여행작가협회 회원

최 창 재

시인
순수문학 시 등단
2014년 월간문학공간 본상수상
한국문인협회지적재산권보호위원
한국문인협회회원/아가페회원
세계여행작가협회 회원

심 명 숙 (필명 청휘)

시인/수필가
한국문인협회 정회원/한국문학방송 회원
연변 인터넷문학방송 회원
중국염성사범대학(YanchengTeachers University)
한국어학과 강사 역임
시집: 『섬』『풍경이 있는 길』
기획집, 『세상 밖으로의 슬픈 여행』2인 공저
세계여행작가협회 사무국장

세계여행작가협회 회원이 되면서…

회원 **배 정 숙**

매섭고 길었던 겨울도 비켜가고, 봄이 오는 따사로운 소리에 마음을 열어 봅니다.

겨울이면 따뜻한 봄을 기다리게 되는 것처럼 세월에 순응하다 보면 어느덧 길의 한가운데서 주위를 둘러보게 됩니다.

사람이 태어나면서 접하게 되는 세상 인연들, 부모 형제와 수많은 사람들과는 만남은 어느 방법으로든 만나게 되는 것이 인연이란 것 같습니다.

성인이 되어가면서 원치 않는 만남도 있지만, 가끔은 필연이라는 생각을 하게 될 때가 있습니다.

지금은 이런저런 인연들과 만남을 거쳐 중년이 된 저는, 몇 년 전부터 남은 삶은 어떻게 살아 갈 것 인가를 고민 하면서 방황했습니다.

지금까지 평탄한 가족 관계 속에서 잘 살아왔다고 생각했는데 노년의 나의 모습을 떠올려보니 정말 자신이 없었습니다. 누구나 다 그렇겠지만, 자식들 성장하여 모두 곁을 떠나고 공허감에 마음이 시릴 때 존경하는 지인(유진순)님의 권유에 세계여행작가협회에 들어오게 되었습니다.

회원님들과 한 번, 두 번 함께하는 시간이 지날수록 너무 좋았습니다. 더욱 좋은 것은 작가님들의 시집을 받아 읽으면서 아름다운 문장력들이 아~ 소리가 절로 나왔습니다.

내면의 변화를 느끼며 즐거워지기 시작했습니다.

"책은 사람이 쓰지만, 사람을 만드는 것은 책이다."라는 말을 들은 기억을 떠올리면서… 좋은 글들은 나의 심성에 자리 잡기 시작했고, 끊임없이 허공을 헤매던 허무한 마음이 조금씩 치유되기 시작했습니다.

세계여행작가협회가 저에게 준 선물은 너무나 크고도 귀합니다. 지금처럼 세월에 자신 있는 모습으로 배우면서 살겠습니다.

회원님들께 감사드리며, 건강하시고 좋은 글 많이 써 주시길 부탁드립니다.

힘이 되는 대로 열심히 돕겠습니다.

2017년 5월

세계여행작가협회 회원

ㄱ

가람(이진숙)
강민숙
강인철
강용숙
김가배
김길부
김나현
김민숙
김문덕
김봉숙
김선인
김성배
김연수
김옥자
김유조
김영애
김영자
김은주
김선주
김장진
김정아
김재근
김재학
김채석
김철교
김춘희
김현경
구도일
고지수
권녕하
권혁상

김광덕
김민숙
김재성
김정애
김종분
김운향

ㄴ

남정호

ㄹ

류재갑
류미월
류일석

ㅁ

문윤정

ㅂ

박경희
박래후
박상윤
박선희
박미옥
발월랑
박영란
박영봉
박 웅
방혜역
박호숙
박은영
배정숙

ㅅ

신동명
신영길
심명숙
손선혜
송연주

ㅇ

양혜승
이지영
이영숙
이원경
이보숙
이상우
이상술
이순향
이충희
이흥규
임문순
임명자
오흥범
유진순
유성봉
유병순
윤향기

ㅈ

장경내
장덕환
장애경
장연수
장재덕

전규태
전효택
정선모
정주영
조복순
조한선
정미령
정영선
정미영

ㅊ

최경자
최승태
최인순
최윤정
최창재
최태권
최흥규

ㅎ

한승욱
한향순
홍건표
홍혜자
황인옥
황의각
황연식
황정연

제2회 단풍 음악회
~시와 음악이 있는 오후~

현대 아카데미 하우스

    2016년 10월 29일 토요일 바람이 마음을 사각사각 스치던 날, 세계여행작가협회는 시월의 밤을 시가 있는 작은 음악회로 마음을 채우며 단풍이 곱게 물든 가을에 잊지 못할 아름다운 추억을 만들었습니다.

아쉬운 순간들 고마운 사람들 (산문집)

저자; **전 효 택**
전체; 384면
펴낸곳: 도서출판 문학관
가격: 15,000원
초판발행: 2016- 11
E-mail : chon@snu.ac.kr

서울대학교 에너지자원공학과 전효택 명예교수의 첫 산문집. 이 책은 수필과 산문, 학회 참가 및 여행기, 전공 관련 에세이, 제자들과 함께한 대학원 연구시절을 주제로 총 73편이 게재된 산문집이다. 정직하고 솔직하게 마음에서 우러나오는 글쓰기를 할 수 있는가라는 자신과 시간과의 싸움이라 하였다. 앞으로 개인적인 바람은 교양이 있고, 주변을 배려할 줄 아는 사람이 되고 싶다고 밝히고 있다.

훈데르트바서의 물방울 (시집)

저자: **이 보 숙**
전체: 153면
펴낸곳: 도서출판 달샘
가격: 10,000원
초판발행: 2016-6

시인은 자연에서 음악과 미술을 포함한 예술을 시의 동력(動力)으로 삼았다. 현대인으로서의 인간의 본질을 예술이라는 이름으로 통찰한 시인으로 평가하고 있다.

담 배 가람 시인이 풀어낸 사실주의 철학시

지은이: **가 람(본명 이진숙)**
전체: 107쪽
펴낸곳: 도서출판 책마루
가격: 8,000원
초판발행: 2015-6

참 삶과 진솔함을 논하는 보기 드문 시집으로 열려있는 달관의 통찰력은 짜릿한 감동을 준다.

생각 나들이 (산문집)
저자: **이 홍 규**
전체: 281면
펴낸곳: 도서출판 생각나눔
가격: 15,000원
초판발행: 2015-11
E-mail : pohg1106@hanmail.net

근세까지도 글을 깨우치지 못한 서민들은 삶 자체가 웃어른들의 행하는 모습을 눈여겨보고 배우거나 스스로 사물을 접하며 얻은 체험으로 생활해 왔다. 그리고 체험에는 반드시 생각이 따르기 마련이며 체험과 생각은 앞뒤가 바뀌기도 하지만, 어떻게 하는 것이 사람답게 행동하는 것인가를 스스로 판단하여 인간의 도리에 어긋나지 않으려고 노력해온 선현들은 몸소 터득한 체험과 생각을 실천하며 참삶을 누릴 수 있었던 것이다.

새 벽 달
저자: **신 동 명**
전체: 114면
펴낸곳: 을지출판공사
가격: 13,000원
초판발행: 2016-5

詩가 詩이기 위해 갖추어야 할 요소들이 있다. 그것은 성성한 생명력을 내제한 씨앗으로서의 기능. 즉, 시인이 소유한 시의 틀이 그것이요 그 씨앗이 발아할 수 있는 토양과 온도 습기 그리고 자양분인데 그것은 시인의 사관(史觀)과 정서가 그것이라고 평가하고 있다.

풍경이 있는 길
자연이 주는 푸성귀를 씹는 촌스러운 시집
지은이: 심명숙(필명 청휘)
전체: 124쪽
펴낸곳: 예서원
가격: 8,000원
초판발행: 2011-12

시어의 이미지너리로 풍광의 매력을 담아놓은 시집, 읽으면 지겹지 않고, 아무리 읽어도 마음이 은은하고 평안해서 좋다.

포커스뉴스

김연수
사진영상국/국장
M 010.8839.1402
T 02.580.2847
F 02.580.2994
wildik02@focus.co.kr

㈜포커스뉴스
06648 서울특별시 서초구
반포대로24길 21
(서초동, 솔본빌딩)

윤해영 한복

Designer / 윤 해 영

서울특별시 종로구 계동길 70-24
TEL. 783.8072 / H.P. 010.3743.6260

社團 美國憲法學會
法人 Institute of American constitution

미국헌법학회 이사장
성균관대학교 법학대학 명예교수 金 榮 秀
서울특별시 종로구 낙원동 58-1번지
종로 오피스텔 909호
Tel : 762-5158
Fax : 762-5198
Mobile : 010-3718-5158
E-mail : kimys@skku.eud

辯護士 具道一 法律事務所

代表辯護士 具 道 一

서울시 서초구 법원로1길 11, 304호
(서초동, 금구빌딩)
전화 : 02-596-8100~3 팩스 : 02-596-8104
핸드폰 : 011-223-4488

리앤강 성형외과 피부과

TEL : 02-514-9993
02-514-9996
FAX : 02-514-9908
apluslee@gmail.com

부사장 이 계 병

(주)전홍
OUTDOOR ADVERTISING

옥외광고대행사
137-877 서울시 서초구 서초동 1602-4 일복빌딩
T. 02.6905.6561 F. 02.6905.6766 M.
www.jeonhong.co.kr   010-5312-6961

대표 **이 민 아**
LEE MIN AE

E-mail. minatine7@gmail.com
07591 서울시 강서구 강서로 56길 44 (등촌동 671-1)
44. Gangseo-ro 56-gil, Gangseo-gu, Seoul, Korea
MOBILE. 010-5495-1560
CAFE. 02-6084-8800
BISTRO. 02-6084-4443
FAX. 02-6080-0602

금융보험 재무법인
www.megafn.com

지사장 **조 복 순**
Jo, Bok Soon

(주)MEGA RICH 여의도본부
서울특별시 영등포구 영중로 61 극동빌딩 9층
Tel. 02.2038.2677 Fax. 02.2633.1255
Mobile. **010.6316.1618**

한국스피치&리더십센타

강사 **이 지 영**

서울시 종로구 종로2가 12번지 통일B/D
TEL : 02)737-3477 H.P : 010-5346-2933
E-mail : callacallacalla@hanmail.net
www.speech365.com

---

www.e-jumbo.co.kr

HWA RANG

대표이사 **최 봉 인**

(주)화 랑 대구광역시 북구 검단공단로 21길 54-42 (산격동)
TEL 053_382_7711~3 **FAX** 053_382_7716

한예당

장 훈 수
Jang-hoonsoo

본 사 : 강남구 신사동 549-8
전시장 : 경기도 양주시 교현리142-25
(송추 IC 앞)
Tel [본 사] 02) 548-4455
[전시장] 031) 855-0444

H.P 010-4458-4322
Email hsjang02@hanmail.net
www.agandm.co.kr
한글 도메인 : 한예당

주식회사
후레시드코리아
Fleceed Korea

한 민 정 대표
010.7768.2550 E-mail hm0613@hanmail.net
경기도 남양주시 진건읍 진관리 873
TEL 031.791.7991 FAX 031.575.7992

2016년 가을 스케치

　　우리강산에 아름다운 서정이 깃든 어느 가을 날(10월15일), 세계여
행작가협회가 경북 예천 학가산'으로 스케치를 다녀왔다. 학가산 자락에
자리한 왕대추 밭에서 맛과 향기가 진한 대추를 따먹는 체험은 하루의 참
시간이란 의미로 미학을 남겼다.

　　경북예천이 자랑 하는 문화 관광지, 회룡포(육지섬 마을)와 삼강주막
에서 문화 해설사의 주막의 역사와 문화에 대해서 설명을 듣고 있는 세계
여행작가협회 회원님들.

제1회 문학기행

소설가 박경리를 찾아서……

꽃이 활짝 핀 봄날 세계여행작가들이 우리나라 대표적인 소설 ‘토지’의 작가 박경리 문학관과 생가를 찾아 작가의 작품들을 다시 한 번 기억하고 훌륭한 작품들을 탄생시킨 삶의 현장을 돌아보았다.

－2017년 4월

이른 봄 날
그 집에 나는 혼자 살았다.
……
……
달빛이 스며드는 차가운 밤이면
이 세상 끝의 끝으로 온 것 같아
무섭기도 했지만
책상하나 원고지, 펜 하나가
나를 지탱해 주었고
사마천사를 생각하며 살았다.

－ 박경리 ‘옛날의 그 집’ 중에서

2017 vol. 2

| 인쇄일 | 2017년 6월 10일 |
| 발행일 | 2017년 6월 15일 |

지은이	세계여행작가협회 편
협회장·편집인	장덕환
고문	전규태
주간	김유조
편집국장	심명숙
편집위원	유진순, 전효택, 이민홍, 최윤정, 김가배
기획	황정연, 가람

인쇄처	천일인쇄사
발행처	서 문 당
발행자	최 석 로
주 소	경기도 고양시 일산 서구 가좌동 630
전 화	031-923-8288
등록번호	제406-313-2001-000005호
ISBN	978-79-8243-679-9
값 15,000원	

세계여행작가협회 본부
경기도 양주시 장흥면 호국로 73번길 164-58 현대아카데미하우스
E-mail ; smsk09@hanmail.net
전 화   010-5026-4226
회장님   011-263-2938